세상 그 누구보다 고마운 존재, 나를 바라보는 글

# 바라보다

김현정 김효선 백미정 서민형 이지원 이지향 조미선
최덕분 최유화 최정선 한미정 한예림 황경희

대|경|북스

바라보다

**1판 1쇄 인쇄** 2023년 6월 10일
**1판 1쇄 발행** 2023년 6월 15일

**발행인** 김영대
**편집디자인** 임나영
**펴낸 곳** 대경북스
**등록번호** 제 1-1003호
**주소** 서울시 강동구 천중로42길 45(길동 379-15) 2F
**전화** (02)485-1988, 485-2586~87
**팩스** (02)485-1488
**홈페이지** http://www.dkbooks.co.kr
**e-mail** dkbooks@chol.com

**ISBN** 978-89-5676-960-8

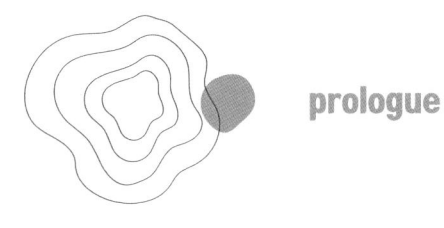

## 고마움의 글쓰기로 나를 '바라보다'

'진짜 변화란 무엇인가?'

변화된 삶을 살고자 몸부림치며 7년 전에 던진 질문이었습니
다. 자기계발에 힘쓰며 직장인과 가족 구성원으로서 제 역할에도
마음을 다했습니다. 성장과 변화를 위해 감사 일기를 700일 넘게
썼습니다. 하지만 가족과 사람들에게 인정받지 못했던 저의 모습
은 비참함 그 자체였어요. 정말 행복한 삶을 살고 싶은데, 왜 하
는 일마다 안 되고 힘든 삶이 계속되는지 답답했습니다.

'난 누구를 위해서 살아가는 거지?'

어느 날 아침, 걷기를 하다 저에게 질문을 던지는 순간을 맞이
하게 되었어요. 눈물이 핑 돌았습니다. 지금까지 저 자신을 바라

보는 삶보다, 타인의 시선만을 맞추고자 했던 모습이었습니다. 살아 있다는 이유 하나만으로도 충분히 나에게 고마운 존재라는 걸 깨달으며, 재정비한 마음으로 감사 일기를 쓰기 시작했어요.

그리고 진짜 변화된 삶으로 성장하게 되었습니다. 〈더 고마워 감사 일기 챌린지〉를 17기까지 진행하는 성과도 냈습니다. '더 고마워 감사 일기'를 써오면서 수많은 시행착오 속에 성장을 해왔습니다.

나에게 고마워하는 글쓰기로 자신을 바라보고, 고마움을 온 몸과 마음으로 느끼며, 삶으로 감사를 표현할 수 있는 방법을 세상에 널리 알리고 싶었습니다. 공저 모임을 만들게 된 이유입니다. 저를 포함해 김현정, 김효선, 백미정, 서민형, 이지원, 이지향, 조미선, 최유화, 최정선, 한미정, 한예림, 황경희, 이렇게 13명의 작가는 5주간 토요일 아침마다 모여 글을 썼습니다. 쉽지 않은 작업이었습니다.

자신을 살펴보는 시간, 알아보는 시간, 용서해 보는 시간, 표현해보는 시간, 바라보는 시간을 가지며 때로는 아픔과 고통을 마주하게 되니 글쓰기를 포기하고 싶었던 순간이 있었는데요, '함께'라는 힘으로 서로 응원하고 격려해준 덕분에 책이 완성되었습니다. 자신과 고마움에 집중하면서 글을 쓰니 내적치유가 일어났습니다. 그리고 고마움이 더 깊어졌습니다.

'혼자만 힘들고 어려운 것이 아니구나. 나와 같은 마음이었구나.'

같은 주제로 각자의 삶을 글로 쓰고 나눔하며 깨닫게 되었어요. 아픔을 공유하는 글쓰기, 고마움의 글쓰기는 '치유의 선물' 그 자체였습니다. 치열한 고민 끝에 탄생된 작가님들의 글은 혼자가 아닌 공저였기에 가능했습니다.

이 책이 세상에 나오기까지 기획부터, 글쓰기, 수정작업, 출판까지 도움을 주신 백미정 작가에게 참으로 고맙습니다. 토요일 아침이면 글 한 편을 무조건 쓰게 만드는 놀라운 능력의 주인공, 백미정 작가 덕분에 《바라보다》 책이 빛을 볼 수 있었습니다.

김현정 작가, 김효선 작가, 백미정 작가, 서민형 작가, 이지원 작가, 이지향 작가, 조미선 작가, 최유화 작가, 최정선 작가, 한미정 작가, 한예림 작가, 황경희 작가에게 참으로 고맙습니다.

서툴면 서툰 대로,

부족하면 부족한 대로,

있는 모습 그대로 자신을 바라보며,

끝까지 글쓰기를 완성해준 수고함에 따뜻한 박수를 보냅니다.

사랑하는 독자 여러분,

때로는 힘드신가요?

때로는 자신이 밉고 싫을 때가 있나요?

하는 일마다 어려움을 겪고 있지는 않나요?

그럴 때면 잠시 모든 것을 멈춤하고,

자신을 바라보는 시간을 가져보시는 건 어떨까요?

책 목차대로 글쓰기를 따라하며 여러분 자신에게 치유와 행복의 시간이 되시길 소망해봅니다. 부디 사랑하는 독자 여러분 모든 삶에 고마움과 사랑이 원동력이 되어 존중하고 존중받으시길 축복합니다.

마지막으로 진정한 고디(고마워 디자이너)로 성장할 수 있도록 늘 제 곁에서 도움을 주는 분이 있습니다. 제가 가장 존경하는 멘토이자 동행자로 모든 지원을 아낌없이 해준 남편에게 존경과 고마움을 전하고 싶습니다.

고마워요.

사랑해요.

덕분에요.

행복해요.

고사덕행.

책에서 캐낸 지혜를 실천하도록 돕는
지혜 실천가, 고마워 디자이너
최 덕 분

# contents

## 1장 살펴 보다 : 고마운 존재, 나에게 편지 쓰기

## 3장 용서해 보다 : 나에게 고개를 끄덕이게 되는 순간

## 4장 표현해 보다 : 그대여 그대여

## 5장 바라보다 : 모든 시절 잘 살아낸, 미래의 나에게도 고마워

## 살펴 보다 : 고마운 존재, 나에게 편지 쓰기

당신은 그 어떤 것의 판단 기준이 아니다.
그런 기준 따위로는 설명될 수 없는 존재다.
당신보다 더 나은 존재, 더 못한 존재는
영원히 존재하지 않는다.

웨인 다이어. 우리는 모두 죽는다는 것을 기억하라

## 산책하는 삶에서 발견한 진주

고마운 현정아,

세상에서 제일 행복했던 때를 떠올리며

입가에 미소를 걸고 뿌듯해하는 마음을 주체하기

힘들어 하는구나.


쌍둥이 독박육아에 준비해야 할 것들이 많아

걱정할 때 만났던 육아박람회는

행복 그 자체였지.

사람들을 자유롭게 만날 수 있는 장소에 있었던 그때가 가장
열정적으로 삶을 살았던 시기였어.

매번 커다란 부직포백을 몇 개나 들고 집으로 돌아와서
육아박람회에서 받았던 기저귀 샘플, 거즈수건 샘플,
아이 스킨·로션 샘플을 모아
몇 박스를 만들어 놓는 모습이 너무 뿌듯했단다.

지금도 그때를 떠올리면 두근거리지?
네 인생에 있어서 너의 존재가치가
가장 빛났던 시기라는 생각이 들어.
출산 이틀 전까지 새벽 5시 첫 지하철을 타고
오픈 후 부스까지 뛰어갔던 기억은
지금도 너를 행복하게 해 주고 있구나.
오로지 너만을 위해서 살았던 정말 치열했던
그 순간이 너무 고마워.
그때 축적했던 힘으로
지금도 우울증을 벗어날 수 있게 되었음을 축하해.

하지만 현실은 어려웠어.

너를 도와주는 사람 없는 고생길을

남편과 함께 꿋꿋하게 걸어와 주었구나.

고생했어.

힘들었지?


굳이 하지 않아도 되는 산모교실, 육아박람회를 돌면서

아이들을 위해 하나 두개씩 모은 샘플들로

박스를 쌓아가면서 뿌듯해 하는 너의 그 모습은

네가 살아가야 한다는 의미를 찾은 것 같았어.

마치 진흙 속에서 진주를 발견한 것처럼 말이야.

손에서 모든 걸 내려놓고 포기할 수 있었던 순간에도

존재하기로 결정할 수 있었던 그때가 너무 대견해.

잘했어.

잘 하고 있어.

충분히 잘 하고 있어.


주변의 모든 것에 관심을 가지며,

사람을 편안하게 도와주는 경청과 함께

너의 주변 모든 것이 너를 응원하고 있어.

너의 삶을 생각하고 되돌아보는 시간,

너의 삶을 '산책하는 길'이라고 말해주고 싶어.

진흙길을 갈 때도, 평평한 아스팔트길을 갈 때도

너의 모든 길을 응원하고 함께할게.

지나왔던 길이 힘들었더라도 앞으로의 길 역시

네가 스스로 만들어 나갈 수 있으니까

힘내자.

나는 너를 항상 응원하고 지지할게.

사랑해.

그리고 고마워.

산책하는 엄마와 아이

| 빅토르 비뇽 |

thanks to

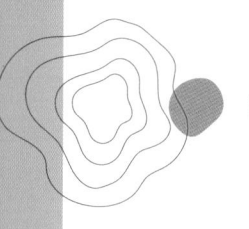

## 이젠 '나무 한 그루'가 되어

참으로 고마운 덕분아,

벌써 3년 전의 일이구나.

15년 다닌 회사를 퇴직하고,

1인 기업가가 되고자 셀 수도 없는 노력을 해왔지.

온라인 상담과 강의를 2천 번 넘게 해왔던 너.

시간과 마음의 정성을 들여 코칭하며 도움이 필요한 사람들에

게 고마움을 전해주곤 했었지.

끝없는 갈등과 고민을 반복하며

배움과 경험에서 깨달음을 얻었던 너.

몇몇 사람들이 너의 곁을 떠났을 때,

모든 걸 그만두고 싶었던 너의 모습도 떠오르는구나.

하지만 포기하지 않고 다른 배움을 통해 다시 일어났지!

7년 동안 기록의 경험을 모아 '기록파워 클래스'를 만든

멋진 너를 바라보고 있어.

함께 하는 사람들에게 풍요로운 성장을 돕는

너의 진정성을 떠올리니,

가슴 깊은 곳에서부터 온 몸까지,

진한 애틋함이 퍼지는 듯해.


지난 3년 동안 집 베란다에서 온종일 노트북과 씨름했던 시간,

어깨와 눈이 빠질 것 같이 아프도록 배움과 깨달음의 경험을

나눔 했던 너의 수고함을 떠올려 본다.

참으로 대단하구나.

고마워.

끝없는 갈등 속에서도 홀로 작은 호수의 고요함을 마주하며

변화와 성장을 선택했던 시간.

모든 것을 내려놓고 멀리 보이는 산등성이와 하늘을 바라보며

평온함과 여유를 원했던 너.

"잠시 쉬어가도 괜찮아.

있는 모습 그대로 아주 괜찮아.

얇은 가면을 던져 버리고,

벌거벗은 진짜 너의 모습은 우아하고 매력적이야."

두둥실 흘러가는 구름이 건네주었던 말 한마디에

위로함을 받는구나!


이젠 '나무 한 그루'가 되어

씨앗에서 열매까지 풍요로운 성장의 경험을 나눔 하련다.


누군가에게 따뜻한 말 한마디로 사랑을 전하는 아름다운 혀.

다른 사람의 행복을 원하고 깊은 관심을 쏟아내는 정성.

나의 독립을 돕고 있는 가장 멋진 남자인 남편과 함께

고디(고마워 디자이너)로 한 걸음씩 뚜벅뚜벅 잘 걸어왔어.


수고함과 애씀의 시간,

'고마운 나무'라 말해주련다.

1인 기업가로 뿌리를 내리고,

푸르른 잎으로 꿈의 그늘이 되어 주는 멋진 사명.

삶의 열매가 주렁주렁 열리는 고마운 나무를

축복하고 사랑해 줄 거야.

덕분이에게 축복만 하련다.


고마워, 덕분아.

사랑해, 덕분아.

비

| 마티아스 알튼 |

thanks to

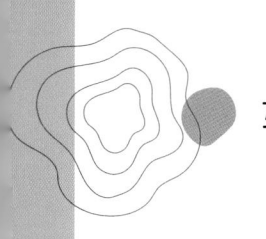

thankful, grateful

이지원

## 꽤 괜찮은 나

누군가의 삶을 지원하는 일이 내 인생 8할이던 때가 있었다.

내 삶도 어쩌지 못하면서 누군가의 삶이 나로 더 빛나기를,

돋보이기를 바랐다.

잘 할 수 없는 일을 잘하고만 싶어 애를 썼다.

시지프스 신처럼 가파른 산을 오르락내리락하는 것만 같았다.


누가 말해주었더라면 조금은 쉬웠을까.

'그 마음이면 되었다!'

한발 내딛지 못하는 제자리걸음으로 무던한 시간을 살아냈다.

이제는 세찬 바람에도 흔들리지 않는 나무처럼 말할 수 있다.

'너, 여기까지 오느라 참 많이 애썼다, 내 그걸 다 알지'


지원아!

네가 좋아하던 사람들에게 쏟아낸 그 마음을

이제는 온전히 네게 보낸다.


걷히지 않는 구름은 없다.

비가 되어 내린다 해도 괜찮다.

과거로부터 붙잡혀 있지 않을 빌미가 되니까.

배가 떠나는 게 아니라 내가 떠나보내는 거다.

'잘 가라.' 인사가 아니라 '잘 되었다.'라는 인사를 받는 것이다.

홀로 남은 게 아니라 다시 사는 삶을 선택한 것이다.

끊어진 길이 아니라 이어진 길로 다시 나아가려는

굳건한 마음이다.

최고의 선택을 한 거야. 아주 잘한 일이지.

오십견 통증은 아직도 양어깨에 남아 있다.

상처 입은 마음에 무리가 덜 가게 하려는 몸의 배려라는 것을 느낀다. 기꺼이 통증을 받아들인다. 이대로도 충분히 괜찮은 하루의 시작과 함께 말이다. 한결같은 내 사람, 나를 인정해 주는 내 사람, 나의 편과 함께할 수 있으니 고마운 일이 아닐 수 없다.

그러니, 이제 보라 제비꽃 피어나는 볕 잘 드는 곳으로 나가볼까.


우울한 감정에서 벗어나면 누가 좋지?

과거로부터 벗어나면 누가 좋을까?

비 오는 것을 즐기면 누가 좋지?

작은 것에 감사하면 누가 좋을까?

웃고 있으면 누가 좋지?

좋은 생각 더 하면 누가 좋을까?

단연코, 나다.

나의 인생, 먼지 한 톨 빼지 않고 아끼고 사랑해.

시시한 하나하나까지 무조건 응원하고 축복할 거야.

모스 근처 잔교

| 한스 구데 |

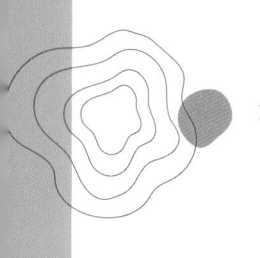

## 책 읽어주는 사람, 책 쓰는 사람

지향아!

벌써 4년 전 일이구나.

네 살 큰아이는 어린이집으로 등원시키고

태어난 지 60일 조금 넘은 작은 아이는 시댁에 맡겨놓고

남편이 입원했다는 병원으로 정신없이 달려갔었지.

제왕절개로 몸도 회복되지 않은 상태로 말이야.

남편을 간호하러 병원을 갈 때마다 힘들어하는 남편 얼굴을 보

는 건, 그야말로 지옥이었어.

그 시절로 돌아가야 한다면 방바닥에 주저앉아 울고 싶어.

삶을 위해서 고군분투했던 너의 모습을 떠올리니 가슴이 찌릿하다.

그간 너와 함께했던 시간들을 떠올려 본다.

지향아, 고생했어.

지향아, 기특해.


네 살 큰아이는 엄마가 책 읽어주는 시간을 좋아하지.

책을 읽어주지 않으면

"엄마, 책 안 읽어줬어. 책 읽어야지?"라고 이야기한단다.

지향아,

너에게는 책 읽는 시간이 아이들과 함께할 수 있는 소중한 순간이구나.

네 인생의 시름을 조금이나마 잊을 수 있는 힐링의 순간이구나.

다시는 돌아가고 싶지 않은 과거에 숨 한 번 돌릴 수 있는 성찰의 영역이구나.


앞으로 너의 삶은 계속 좋은 향기가 날 거야.

삶을 돌아볼 수 있는 책 읽기와 글쓰기를 선택했으니까.

삶의 향기를 책으로 써서 많은 사람을 살려줄 너의 인생, 끝까지 응원할 거야.

두 아이들이 해맑게 웃고 장난치는 모습에서 고마움을 느낄 수 있는 지향이의 인생이 꼭 기록으로 남게 되기를 기다리고 있을게.

책 읽어주는 사람, 책 쓰는 사람으로 인생 모두를 받아들일 준비가 되어 있는 지향아! 사랑해. 지향아! 고마워.

책 읽어 줄게

| 제임스 티소 |

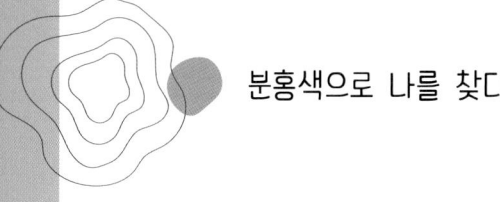

thankful, grateful

황경희

## 분홍색으로 나를 찾다

경희야.

32년 전, 1991년 때 일이구나!

전년도 서류를 정리하면서 예쁜 글씨로 기록해 둔 기억을 보게

되었지.

산뜻하고 풋풋했던 너의 젊음을 말이야.

서울에서 참 치열하게 살았지.

배우는 것도 좋아했던 우리 경희였어.

피부미용, 패션, 모델 워킹을 배우고 카메라를 사서 포즈 연습

도 하고.

세월의 흐름과 여유 없는 삶 속에

이제 너의 글씨는 내가 못 알아 볼 정도가 되어 버렸어.

슬픈 너의 마음을 어떻게 위로해 줄까.

너에게 처음으로 편지를 쓰는데

눈물이 나는구나.

미안한 마음이 가득해.

이다지도 너에게 무심했나 싶어.

〈해변의 여인〉 명화를 보니

분홍색을 좋아했던 경희의 모습이 떠올라.

열정의 빨강과 순수한 흰색이 혼합된 분홍.

너는 진짜 멋쟁이였어.

이제는 내면도 더 가꾸어 가자꾸나.

은은하고 부드럽고 따뜻하고 섬세한 핑크를 닮아 가자꾸나.

오래된 친구가 씩씩한 너에게 여성미가 있다고 얘기한 적이 있

었어.

맞아! 경희는 여성스럽기도 해.

바쁘고 피곤한 가운데 부드러움과 섬세함이 숨겨져 있었을 뿐이야.


(퍼스널 컬러 진단을 통해 경희의 잠재된 패션 DNA를 발견해 주시고 더 멋진 나로 표현해주신 유니크한 패션잡화브랜드 SUASTI 대표님, 정말 고마워요.)


열심히 사느라 온전히 너에게 집중할 틈이 없었지?

이젠 너의 몸과 너의 마음에 더 집중해 보았으면 해.

이젠 휴식을 취하면서 진짜 멋쟁이로 살았으면 해.

분홍색 원피스를 입고 멀리 바다를 바라보면서 말이야.


열심히 잘 살아온 경희야, 사랑해.

너의 색을 찾은 경희야, 축복해.

경희야, 고마워.

해변의 여인

| 필립 윌슨 스티어 |

thankful, grateful

최유화

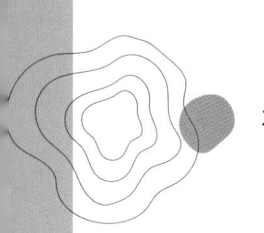

## 참 잘 왔어

유화야, 벌써 6년이 넘은 이야기야.

공부에 전혀 흥미 없던 네가 취직해서도 계속 공부하게 될 줄

은 꿈에도 몰랐어.

새벽기상을 위해 《강성태의 66일 공부법》 책을 읽고, 명상하고,

공부를 시작했던 지난날이 떠오르는구나.

너의 공부는 10년 가까이 이어졌지.

감춰지지 않을 정도로 늘어난 흰 머리카락을 보니 스트레스가

심했구나.

그래도 네가 목표하는 바를 이루어 내었어.

육아와 살림에 공부까지,

모든 것을 이겨낸 네가 자랑스러워.


유화는 한다면 하는 사람이야.

물론 고생을 사서 할 때도 많지.

그래도 고민으로 가득했던 어두운 터널을 지나

이제는 눈부신 세상을 여행하고 있어.

앞으로 너의 모든 여행을 응원할 거야.

행복할거고.


다리를 꼬고 앉아 몰입해서 공부하다 보면

다리에 피가 안 통하는 느낌이 들어.

바르게 앉을 수 있도록 해주는 신호야.

열심히 살고 있다는 신호를 느낄 수 있음에 감사해.

하고 있는 사람.

가능성을 가지고 있는 사람.

가능성에 몰입할 수 있는 사람.

지금 존재하는 사람.

그 사람이 유화 너란다.

여기까지 잘 와주었어.

참 잘 왔어.


너에게 온 명화를 바라보고 있단다.

빨래터에서 빨래하는 여인들은 무얼 생각하고 있을까.

과거의 너처럼,

고생할 수밖에 없는 인생이라며 자신을 체념하고 있을까.

아님 지금의 너처럼,

자신이 있는 곳은 햇살이 드는 멋지고 널찍한 호숫가라는 것을
알고

함께하는 사람들과 힘내자, 잘 하고 있다 소통하며

하하호호 웃을 수 있음에 감사하고 있을까.


우리 모두는 이제 곧 알게 될 거야.

희로애락 인생을 받아들이게 되면

자신이 곧 산이 되고 호수가 될 수 있다는 걸 말이야.

유화의 모든 노력,

유화의 모든 마음,

유화의 모든 움직임을 축복해.

지금까지 잘 살아 와주어 고마워.

지금까지 존재해 주어 고마워.

토볼레의 빨래하는 여인들
| 페데르 모크 몬스테드 |

thanks to

thankful, grateful

조미선

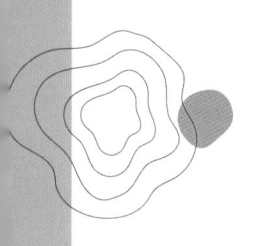

# 가치 안내자

사랑하는 미선아!

2018년 11월, 가장 힘들고 지쳐있던 그 순간들이 떠오른다.

한 살 터울씩 나는 세 아이들의 워킹맘,

아이들을 돌봐주는 남편,

장거리 출퇴근과 야근이 일상이 되어버린 날들로,

꿈도 없이 인정에 목말라 열심히 앞만 보며 달려왔던 시간들.

우울증을 이겨내기 위해 주말이면 새벽부터 밤까지 책과 씨름

했지.

독서모임과 배움으로 마음을 채우려 했던 삶의 구간은 갈급함 그 자체였어.

참으로 외롭고 힘든 투쟁이었지.

마흔이라는 나이가 되자 미친 듯이 시간에 집착했어.

그리고 너는 또 살기 위해 '기록'을 선택했지.

4년 동안 쌓이고 쌓인 기록들을 보면서 그동안

애쓰고 애쓴 기억들이 고스란히 전해져 온단다.


네 삶을 지나갔던 수많은 감정들을 떠올려 본다.

항상 어깨에 무거운 짐들을 지고 버텨내기 힘든 순간들도 있었지만,

혼자가 아닌 함께의 힘으로 지금까지 올 수 있었어.

거친 바람 덕분에 단단해짐과 낮아짐을,

먹구름 덕분에 겸손과 감사함을,

언덕 덕분에 인내와 끈기를,

그리고 세 아이들 덕분에 앞으로 나아갈 수 있는 꿈과 삶의 이유를 배울 수 있었단다.

항상 포기하지 않고 더 나아지기 위해 꿋꿋하게 살아와준 너에게 참으로 고마워.

이제는 지금까지 인생의 길을 함께 해온 사랑하는 이들에게 삶의 가치를 전해주는 안내자가 되고 싶어.

원하는 꿈을 이루기 위해 매일 노력하는 꾸준함과 함께

행복한 관계로 서로의 성공을 응원해 주는 따뜻한 사랑과 함께

너의 사랑하는 남편과 세 아이들과 함께

지금까지 잘 와주었어.


너의 인생,

'가치 안내자'라고 말해주고 싶구나.

축복의 통로로 쓰임 받을 너를 응원해 줄 거야.

미선아, 사랑해.

미선아, 고마워.

동쪽에서 서쪽으로 부는 차가운 바람

| 조제프 파커슨 |

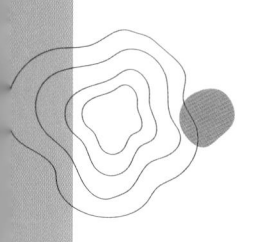

thankful, grateful

서민형

## 너를 기다려주던 이들은 알고 있었어

민형아,

8년 동안 해오던 일을 이사를 하며 계속 해야 할 지 고민하던

시간을 떠올려 본단다.

몸과 마음이 힘들었어. 두렵기도 했고.

하지만 한 번 더 해보자, 도전 정신으로 사무실을 배정받았어.

홍보전단 활동과 상담약속을 잡기 위해 전화를 했지.

너의 일이 네 아이에게 도움이 되었다는 것을 직접 경험하면서

다른 누군가에게도 필요할 거라 믿었어.

많은 거절과 외면을 받으면서도

가끔씩 들려오는 감사의 이야기에 보람을 느꼈었지.

시간이 지날수록 마음에 상처가 쌓이는 것을 알면서도

너를 믿어주고 따라주었던 고객들을 배신하는 것 같아

방황하며 힘겨운 시간들을 이겨내느라 힘들었지?

정말 수고했어.


"다시 세상으로 나가는 게 괜찮을까? 아니. 이젠 절대 나가지

않을 거야."

얼룩지고 닳아버린 마음 때문에 주저앉아 있을 때에도

너를 기다려주던 이들은 알고 있었어.

사람을 좋아하고 또 그들에게 도움을 줌으로서

삶의 보람과 가치를 느끼는 너를 말이야.

갈림길에서 헤매거나 먹구름에 가려 막막해질 것도 알면서

끊임없이 빛을 찾아가는 너를 응원해.

그리고 해낼 수 있을 거라 믿어.


너의 노력에서 나는 진심의 향기와 함께,

누군가의 삶을 토닥거려줄 수 있는 아름다운 손과 함께,

늘 믿어주고 곁에서 든든히 지켜봐주는 남편과 함께,

여기까지 잘 와 주었구나.


너와 함께 하는 이들이 있기에

너의 여생은 평온함과 웃음이 가득할 거야.

너와 함께 하는 이들을 지켜주는 하늘이 있기에

너의 여생은 드넓고 푸를 거야.

상대방의 행복을 위해 열심히 걸어온 네 신발과 마음에 묻은

흙은

생명을 만들어 낼 거야.


민형아, 너를 믿고 나가렴.

너를 사랑해.

일터에서 돌아오는 길
| 월터 맥이웬 |

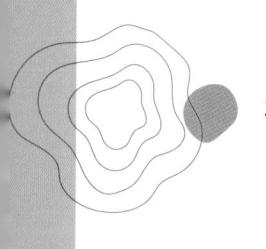

## 창공이 되어줄게

미정아, 벌써 28년 전 일이구나.

갑작스레 어머님과 함께 살게 되면서, 너는 생계유지를 위해

회사를 다니기 시작했지. 잦은 잔업으로 자녀들에게 많은 관심

을 못 가졌던 너는 늘 미안해했어.

회사가 너무 멀어 새벽에 출근하고 밤늦게 퇴근했지.

잠자는 아이들의 모습을 볼 때마다

"엄마로서 역할을 잘하고 있나?" 자문했었고,

어쩌다 시간이 나서 딸과 산책을 하면 딸은

"엄마, 이 또한 지나가."라는 말로 도리어 너를 위로해 주었어.

다시 그 시절로 돌아간다면

너에게 맛있는 것 많이 사 주고 좋은 곳 많이 데려가고 싶어.

어쩔 수 없이 회사 생활을 했고,

어머님만 안 왔더라면 하는 생각들이 들곤 했었는데

얻은 것도 많았지?

좋은 사람들을 얻었고

야간 대학교에 통신대학교까지 나올 수 있었으니 말이야.


그동안 너와 함께 했던 시간들을 돌아보니

참 억척같이 살아왔네.

참 대단하다.

사느라 애썼고 대견하다.

너를 토닥거려주고 싶어.


푸른 날, 창공을 나는 새를 보면

너 역시 훨훨 나는 갈매기가 되어 가족들끼리 소풍을 가고 싶어 하는구나.

날아도 날아도 끝이 없는 파란 하늘과 바다를 벗 삼아 말이야.

망망대해, 돛단배가 물 위에 떠 있다.

네가 갈매기를 보고 있는 건지, 돛단배에 있는 네가 갈매기를

보고 있는 건지,

너는 네가 누구인지 모르겠다는 생각도 하는구나.

하느님께서 말씀하시는 것 같아.

"인생의 짐 벗어버리고 자유롭게 날아도 돼.

이제는 날아도 된단다.

돛단배를 타고 여행을 해도 된단다.

자유롭게 하고 싶은 일 하면서 살아도 돼.

내가 주는 상이란다."

파란 하늘이 좋고 파란 바다가 좋고 갈매기 위 구름이 좋은

너.

그냥 감사하며 순간순간 감사하며 어디에 있든 감사하며

모든 존재하는 것을 사랑하는 마음이

너를 알아갈 수 있는 좋은 방법 같기도 해.


너에게 참 고마워.

내면에 가지고 있는 긍정으로

힘들어도 다시 일어설 수 있는 감사를 배우고 싶어.

너를 찾아가는 그 여정, 늘 함께할게.

너에게 창공이 되어줄게.

미정아, 항상 고마워.

미정아, 항상 사랑해.

**창공에서**

| 아르케디 릴로프 |

thanks to

thankful, grateful

최정선

## 함께라서 행복해

엄마가 곁에 없어 의지할 곳이 없었고, 나를 힘들게 했던 아빠에게서 벗어나고 싶어 선택했던 결혼. 사랑보다 안정적인 환경이 필요했다. 그래서 조건에 맞는 사람과 만나 결혼을 했지만 쉽지 않았다.

27살에 결혼해 33살까지 살면서 아들, 딸을 낳았다. 아들을 낳던 날, 제왕절개 후 전신마취에서 깨면서 하염없이 울었다. 엄마가 너무 보고 싶었다. 지금 생각해보니, 엄마의 따뜻한 돌봄을 간절히 바랐던 모양이다. 내가 엄마가 되던 날, 눈물을 흘리며 엄마를 간절히 찾았다.

시댁에서 한 달 동안 몸조리를 하면서 나도 모르게 산후우울증이 생겼다. 모든 것에 예민하게 반응했다. 하지만 내 아이에게 만큼은 좋은 엄마이고 싶었다. 어떤 게 좋은 엄마인지 모르면서 아이에게 환한 미소를 보여주고자 노력했고, 노래도 불러 주었다.

갑자기 내가 이상한 사람이 된 것 같아 바닥에 주저앉아 멍하니 있을 때가 있었다. 마음의 병이 계속 되었던 모양이다.

일을 다시 시작했다. 아이와 함께 출근한 어린이집. 아이는 엄마인 나에게 달려와 안기지 못했다. 아이 마음을 너무 아프게 하는 것 같아 다른 어린이집으로 보내고 나는 아침 일찍 출근해서 저녁에 퇴근을 해서야 아이를 만날 수 있었다.

자기 전에는 다음 날 옷을 미리 입혀서 재웠다. 아침에는 미리 준비해둔 볶음밥을 챙겨서 차에서 떠먹이면서 등원시켰다. 우는 아이 손에 과자를 들려 보내는 날도 허다했다. 바쁘게 일을 하다 보니 마음의 병은 생각할 겨를이 없었다. 둘째를 가졌을 때도 출산 전날까지 일을 했다.

아이 아빠와는 대화가 잘 되지 않았다. 남편의 청력이 좋지 않고 상태가 계속 나빠지고 있다는 것을 결혼 후 알게 되었다. 1남 4녀에 손이 귀한 집의 아들이었던 아이 아빠는 어머님 말이라면 뭐든 하는 사람이었다.

일이 끝나고 지친 몸이지만 시골에서 일을 도와주는 건 당연했다. 가족 모임이 있을 때면 온 가족이 무조건 모여야 했고 여행을 가도 대가족이 함께 움직여야 했다. 며느리인 나로서는 감당하기 힘겨울 때가 많았다. 고추모종을 처음 심어보던 날, 손이 빠른 나는 한번 알려주었는데 혼자 300포기를 심었다. 왜 그렇게 열심히 하고 인정받고 싶어 했는지 모르겠다. 어렸을 적 내 부모한테 충분한 인정을 받고 자랐더라면 그렇게 몸을 혹사시키지 않을 텐데.

시어머님은 일주일이 멀다하고 집에 와서 며칠씩 지내다 가셨다. 퇴근을 하고 집에 와서 시어머님을 모셔야 하는 일은 여간 힘들고 불편한 게 아니었다. 아이 아빠와 다툼까지 생겼다. 아이 아빠는 내 엄마가 내 집에 올 수도 있지 그걸 가지고 뭘 그렇게 하느냐며 내 입장을 조금도 이해해 주지 않았다. 그런 일들로 계속 다툼이 생기고 결국 시어머님께 "엄마 없이 큰 자식은 잘 알아보고 결혼시키라고 했다."는 말을 들었다. 정말 더는 살고 싶지 않았다.

이혼을 결심했을 때는 몸도 마음도 만신창이였다. 나를 돌볼 힘도 남아있지 않았다. 더구나 엄마가 계시지 않았기에 아이들을 나 혼자 키우는 건 무리였다. 살기 위해 난 선택해야 했다. 아이들을 남겨두기로. 엄마처럼 그렇게 살지 않으려 애썼는데 마음이 미어졌다.

벌써 12년 전 일이다. 시간이 많이 지났다. 그땐 그럴 수밖에 없었다. 감사하게도 나의 사랑 아들, 나의 기쁨 딸은 멋지게 성장했다. 나의 몸과 마음은 단단해졌다. 안전기지인 지금의 남편 덕분에 충분한 지지와 격려로 마음이 평안하다. 나의 보배인 딸이 함께 있어서 엄마로도 행복하게 매일 살고 있다.


살면서 힘들고 지칠 때에 뭐가 부족해서 이러는 걸까, 내 욕심일까, 한동안 고민했던 적이 있다. 나는 삶에 재미를 느끼지 못하면 힘들어하고 그곳에서 벗어나고 싶어 한다. 균형을 잃고 한쪽으로 치우치게 되면 결국 웃음이 사라지게 되고 힘들어하는 나를 본다.

잠시 일을 쉬면서 무엇을 해야 내 삶에 재미를 더할지 찾기 시작했다. 다양한 책을 보기도 하고 동화 읽는 어른의 모음에서 그림책을 보기 시작했다. 그리고 나도 모르게 그림책을 보는 데 울컥하며 눈물이 흘렀다. 무엇이 나를 울게 하는지 찾고 싶어 그림책심리도 배우고 다시 상담을 받았다.

내면아이를 다독여주고 다시 삶의 균형을 잡을 수 있도록 일을 시작했다. 아이들과 함께 하면서 사랑을 주고받는 어린이집 교사 생활은 부수적으로 해야 하는 일들이 생각보다 많고 힘들었다. 일을 내려놓은 후, 재미있는 것이 무엇인지를 찾고 찾았지만 결국 내가 있는 곳, 바로 그곳에 답이 있다. 이제는 멀리서 찾으려 애쓰지 않고 내가 있는 곳에서 삶의 균형을 잡고 그 안에서 재미를 느끼면서 웃는 매일을 보내고 있다.


살아오면서 선택한 모든 순간을 '너와 함께라서 행복해'라고 말하고 싶다.

시소는 혼자탈 수 없다. 누군가로 인해 힘들 때, 슬플 때, 아플 때, 죽고 싶을 만큼 괴로울 때, 화가 날 때, 즐거울 때,

기쁠 때 모든 순간을 누군가와 혹은 나와 함께 했기 때문에 지금 행복하다고 말할 수 있어서 너무 감사하다.

나의 사랑, 나의 기쁨, 나의 보배인 너희들과 함께라서 행복해.

그리고

정선아, 지금까지 살아온 넌 정말 멋져.

정선아, 엄마인 너는 사랑 그 자체야.

잘 해왔고 지금도 잘하고 있고 앞으로도 그런 너를 응원해.

시소

| 윌리엄 스튜어트 맥죠지 |

thanks to

thankful, grateful

김효선

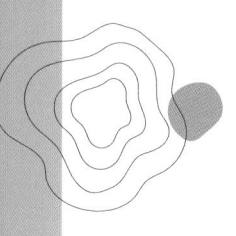

## 진심을 다하는 하루

치열하게 10대, 20대, 30대를 보내고

마흔의 사춘기를 앓고 있는 너에게

무슨 말을 해야 할지 모르겠어.

한참을 망설이다 편지를 써.

무얼 위해 그리 애를 쓰고 조바심을 내며 살아왔을까?


살아보니 죽는 결심을 하는 것보다

앞으로 삶은 잘 살아 보겠다 결심하는 것이 쉽더라.

내가 못나고 아픈 부분을 들춰내는 것보다

나를 한 번 더 토닥여 주는 게 쉽더라.


너를 이해해주는 사람이 없어서 힘들었지?

혼자 많은 일들을 처리하느라 애썼어.


지금의 너는 온갖 시련을 잘 극복해 냈어. 애썼어.

너는 누구보다 열심히 살았고, 잘해왔고, 잘 하고 있어.

누구도 너만큼 잘 해낼 수 없을 거야.

지금 어렵다고 느끼는 모든 것이 과거가 되었을 때

해볼 만 한 일이었다, 좋은 경험이었다 믿게 될 것임을 알고

있단다.


삶의 전환점을 맞이한 효선아.

너는 내면을 탐구하고, 더 나은 방향으로 나아가기 위한 계기

를 마련할 수 있어.

더 나은 삶을 위해 노력하고, 변화를 위한 단계들을 거쳐 가는

것도 중요한 일이야.

이제는 더 강해지고, 자신감을 가지고 나아갈 차례야.

나는 너를 응원하고 있어.

너의 꿈과 목표를 놓지 말고, 어려움을 이겨내고 더 나은 미래를 향해 나아가자.


나는 오늘도 진심을 다하는 너의 하루를 응원해.

인생 전반전이야. 늦지 않았어.

너의 삶의 온도를 올려 더 열정적으로 성장하고,

환경을 탓하기보다 이 상황을 받아들이고,

담담히 살아내는 너를 사랑하고 응원할게.


힘들어도 포기하지 말고 언제나 그러했듯 잘 해 낼 거야.

천천히, 꾸준히, 우리 이겨 내자.

너의 푸른 선택과 푸른 인생길에 사랑과 격려를 담아.

붉은 양산

| 페데르 모크 몬스테드 |

thankful, grateful

한예림

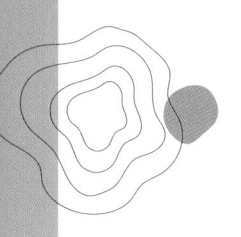

## 자유를 만끽하렴

예림아, 삶이라는 기차를 타고 달리다 어느새 중년의 나이가 되어버렸구나. 결코 넘어갈 수 없다고 생각했던 아픔의 순간들을 기차 뒤로 보내고 나니 이제야 네 마음을 들여다보게 되었다. 오랜 시간 너를 살펴보지 않아 미안하다. 그리고 참고 기다려주어 고맙다. 그동안 혼자 얼마나 외로웠니? 그동안 혼자 얼마나 괴로웠니?

네가 지나왔던 고통의 시간들은 너에게 무수한 질문을 던졌지. 도대체 왜? 하필? 어째서?

네 마음속에 쌓여간 물음표들이 삶을 짓눌렀을 때. 그때부터 비로소 예림이 너의 진짜 모습이 보이기 시작했지. 너는 삶의 물음표들을 하나하나 다시 꺼내어 보며 여행을 하기 시작했어. 너는 마음의 여행을 통해 오랜 시간 해결되지 않았던 질문의 의미와 답을 찾아가고 있어. 지금의 너는 그 어떤 때보다 행복해 보인다.

이제 이 여행의 마지막 물음표에 다다랐구나. 거기에는 네가 그토록 원망했던 아버지의 모습이 있구나. 너는 지금 네 마음 속 접혀 있던 세계들을 하나 둘 펼쳐내고 있다.
그 접혀 있던 주름 속에서 너는 아버지의 고통과 슬픔을 발견했구나. 결코 용서할 수 없던 아버지를 마음의 눈으로 보게 되니 예전에는 알지 못했던 것들이 세상에 드러나는구나.

아버지를 미워하는 딸의 삶은 어땠었니?
외면하고 회피해도 끊임없이 되살아나는 괴로움.
알 수 없는 죄책감과 자기비하의 쇠사슬.
이제 너는 너를 짓누르던 원망과 미움의 족쇄를 해체하기로 결

72

정했다.

용기 있게 기꺼이 아픔을 받아들이기로 결정한 예림아,

네가 너무나 자랑스럽다.

이제 너의 마음에 자유를 줘도 된다.

아무것에도 얽매이지 말고 자유를 만끽하렴.

네 삶의 기차는 어떤 장애물에도 멈추지 않고 계속 전진할거야.

예림아, 사랑한다.

주앵빌에 있는 마른 강 위의 다리

| 아르망 기요맹 |

## 무지개를 닮은 너에게

미정아, 벌써 13년 전의 일이구나.

아들 셋을 둔 워킹맘, 공부하는 남편.

'빨리 빨리'를 입에 달고 살았지.

기차로 출근하던 길,

매일 아침마다 쪼그라드는 심장과 함께 기차역으로 뛰었어.

지금은 피식 웃으며 너에게 편지를 쓰고 있지만,

그 시절로 돌아가야 한다면 방바닥에 주저앉아 대성통곡할 것

같다.

먹고 사느라, 꿈을 위해 고군분투했던 너의 모습을 떠올리니
가슴 정중앙이 찌릿해 온단다.


그간 너와 함께 했던 시간, 네가 흘렸던 눈물을 떠올려 본다.

참, 애썼다.

참, 기특해.

하늘 위 구름으로 사는 게 맞을까, 바람으로 사는 게 맞을까,

너의 성찰의 시간들이 지금의 무지개를 만들어 냈구나.

꽃들이 말한다.

"네 마음, 다 안다."

바람이 말한다.

"네 마음, 간직하고 있단다."

하늘이 말한다.

"네 마음, 늘 응원해."


열심히 살고 있다는 증거인 피곤함과 함께,

다른 사람들도 인정해 주는 노력과 함께,

너의 동반자 남편과 함께

지금까지 잘 와 주었어.


너의 인생을 '희망의 무지개'라 말해주고 싶구나.

빨주노초파남보 모든 삶의 모양, 모든 생각, 모든 감정을 축복

하고 응원할 거야.

미정아, 사랑해.

미정아, 고마워.

무지개

| 표트르 콘찰르브스키 |

2장

**알아 보다 : 감사합니다 감사합니다 감사합니다**

"감사할 게 없다고요?

참기름 짜듯이 쥐어짜보세요.

생각지도 못한 감사한 일들이 떠오를 겁니다."

이찬수. 감사

※ 2챕터는 20세기 초 미국의 화가 '존 슬론'의 작품과 함께 글을 썼습니다.

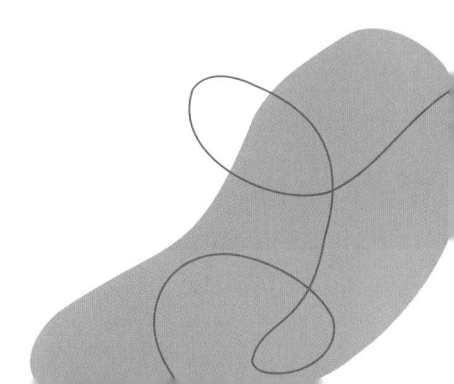

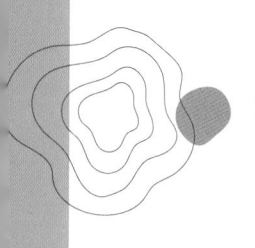

thankful, grateful

조미선

## 평온한 씨앗

고맙습니다. 글을 쓸 수 있는 이 시간과 종이와 펜 덕분에 생각을 기록할 수 있어 감사합니다.

고맙습니다. 유쾌하고 긍정적인 남편 덕분에 삶의 재미를 알아갈 수 있어 감사합니다.

고맙습니다. 사랑하는 아이들의 웃음소리와 수다 덕분에 행복한 일상을 느낄 수 있음에 감사합니다.

고맙습니다. 나만의 조용한 공간 서재 덕분에 책을 읽고 공부할 수 있어 감사합니다.

고맙습니다. 입술 덕분에 사랑하는 사람들과 입맞춤을 할 수 있고 대화 할 수 있어 감사합니다.

고맙습니다. 손가락 덕분에 만지고 느낄 수 있어 감사합니다.

고맙습니다. 건강한 몸 덕분에 아프지 않고 활동할 수 있어 감사합니다.

고맙습니다. 발바닥 덕분에 어디든지 자유롭게 뛰고, 걸어 다닐 수 있어 감사합니다.

고맙습니다. 나와 함께한 이들 덕분에 시간의 여유를 느낄 수 있어 감사합니다.

고맙습니다. 그동안 꾸준하게 뿌린 씨앗들 덕분에 많은 열매를 얻을 수 있어 감사합니다.

고맙습니다. 나에게 주어진 달란트 덕분에 이제는 함께 나눌 수 있어 감사합니다.

고맙습니다. 건강하게 관리한 몸매 덕분에 아름답게 꾸미고 다닐 수 있어 감사합니다.

고맙습니다. 아름다운 자연을 볼 수 있는 눈과 따뜻함을 느낄 수 있는 여러 감정이 있어 감사합니다.

정오

| 존 슬론 |

thanks to

thankful, grateful

한미정

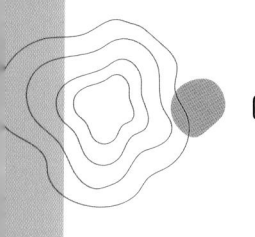

## 예쁜 상상

고맙습니다. "감사합니다." 백 번의 말을 한 덕분에 풍요로운 마음, 감사합니다.

고맙습니다. "감사합니다." 강력한 말의 힘을 알아 감사합니다.

고맙습니다. 나를 위해 일해 주는 컴퓨터 덕분에 필요한 정보도 찾고 글도 쓰고 책을 낼 수 있어 감사합니다.

고맙습니다. 머리카락이 많은 덕분에 머리를 보호할 수 있어 감사합니다.

고맙습니다. 건강한 눈 덕분에 사랑하는 사람을 볼 수 있고 글을 읽을 수 있어 감사합니다.

고맙습니다. 나를 위해 일해 주는 손 덕분에 어떤 음식도 뚝딱 해결할 수 있어 감사합니다.

고맙습니다. 나의 튼튼한 다리 덕분에 좋아하는 사람들과 어디든 갈 수 있어 감사합니다.

고맙습니다. 건강한 눈 덕분에 아름다운 풍경 속 집을 볼 수 있어 감사합니다.

고맙습니다. 그림 덕분에 우리 아들이 결혼해서 아름다운 전원주택에서 행복하게 살고 있는 모습을 상상해 보았습니다. 감사합니다.

고맙습니다. 상상할 수 있는 능력 덕분에 나이 들어서 우리 부부가 살고 있는 집에 손주들이 놀고 있는 것도 마음속으로 그려 보았습니다. 감사합니다.

꿈의 집

| 존 슬론 |

thanks to

thankful, grateful

이지향

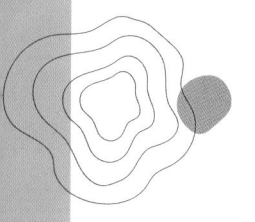

# 감탄 그리고 평온함

고맙습니다. 두 아이들 등교와 등원으로 평온한 아침에 감사합니다.

고맙습니다. 세탁기 덕분에 빨래를 돌릴 수 있어서 감사합니다.

고맙습니다. 노트북 덕분에 글을 쓸 수 있어서 감사합니다.

고맙습니다. 늦게 잠자는 딸아이가 저녁 8시가 되어서 잠들어서 감사합니다.

고맙습니다. 우리 가족이 함께 쉴 수 있는 집이 있어서 감사합니다.

고맙습니다. 코 덕분에 숨을 들이쉬고 내쉴 수 있어 감사합니다.

고맙습니다. 귀 덕분에 타인의 이야기를 들을 수 있어서 감사합니다.

고맙습니다. 입 덕분에 사람들과 이야기도 나누고 맛있는 음식을 먹을 수 있어 감사합니다.

고맙습니다. 두 팔 덕분에 아이들을 목욕 시킬 수 있어서 감사합니다.

고맙습니다. 엉덩이 덕분에 편히 앉을 수 있어서 감사합니다.

고맙습니다. 튼튼한 두 다리와 발이 있어서 10km 마라톤을 완주할 수 있어서 감사합니다.

고맙습니다. 예쁜 그림 덕분에 "와!" 감탄할 수 있어 감사합니다.

고맙습니다. 그림 속 2층 집과 버킷리스트 덕분에 늘 상상하고 있던 2층 집을 다시 떠올릴 수 있어 감사합니다.

고맙습니다. 흐르는 물에서 놀고 있는 아이 덕분에 엄마 미소를 짓게 되어서 감사합니다.

고맙습니다. 추운 겨울이 지나 봄을 알리는 꽃소식 덕분에 희망을 갖습니다. 감사합니다.

고맙습니다. 따뜻한 색채의 그림 덕분에 마음이 힐링 되어서 감사합니다.

고맙습니다. 명화 감상 시간 덕분에 그림에 관심을 갖게 되어서 감사합니다.

고맙습니다. 아이 그림을 보면서 두 아이들이 하교와 하원하면 꼭 안아주고 싶다는 생각을 하게 되어 감사합니다.

봄의 조짐

| 존 슬론 |

thankful, grateful
이지원

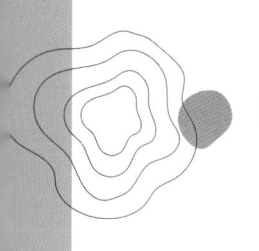

## 인생의 계절 '봄'

고맙습니다.

건강한 두 손 덕분에 글을 쓸 수 있어 감사합니다.

고맙습니다.

따뜻한 집과 침대 덕분에 평안을 느낄 수 있어 감사합니다.

고맙습니다.

혀 덕분에 커피 맛을 느낄 수 있어 감사합니다.

고맙습니다.

콧구멍 덕분에 숨을 들이쉬고 내쉴 수 있어 감사합니다.

고맙습니다.

위장 덕분에 소화를 시킬 수 있어 감사합니다.

고맙습니다.

두 발이 있어 산책을 나설 수 있어 감사합니다.

고맙습니다.

남편 덕분에 함께하는 소중함을 알게 되어 감사합니다.

고맙습니다.

자동차 덕분에 어디든 떠날 수 있어 감사합니다.

고맙습니다.

봄의 계절 덕분에 꽃의 아름다움을 느낄 수 있어 감사합니다.

# 드라이브

## ▍ 존 슬론 ▍

thanks to

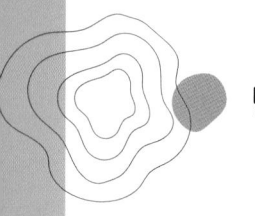

## 단단한 성장

고맙습니다.

지적인 것이 많이 들어 있는 뇌 덕분에 글이 술술 나와 감사합니다.

감사합니다.

"감사합니다."라고 100번 말한 덕분에 감사함이 절로 나와 감사합니다.

감사합니다.

함께 글을 쓰는 작가님들 덕분에 눈이 초롱초롱해지고 나도 작가가 되기 위해 노력하는 모습, 감사합니다.

고맙습니다.

손 덕분에 온 우주를 담는 글을 쓸 수 있고 사랑을 담은 선물을 귀인에게 전달할 수 있어 감사합니다.

고맙습니다.

젖꼭지 덕분에 사랑하는 아들 동근이의 어린 시절, 일하다가 점심시간에 집에 와서 1년 동안 젖을 먹여 건강하게 키울 수 있어 감사합니다.

고맙습니다.

배꼽 덕분에 몸 중간 위치를 찾을 수 있고 그 주위 장기를 따라 손으로 마사지하기 쉬워 감사합니다.

고맙습니다.

260센티미터 큰 발 덕분에 건강하게 25개 나라 여행할 수 있어서 감사합니다.

고맙습니다.

활짝 핀 분홍색 꽃 덕분에 나의 여성스러움을 더 발견할 수 있어 감사합니다.

고맙습니다.

두 자매 덕분에 동생 금희, 명희에게 뷔페에서 아름다운 만찬 준비할 마음을 가질 수 있어 감사합니다.

고맙습니다.

아름다운 집 그림 덕분에 마루에 앉아 시에 젖고 낭만에 젖고 추억에 젖었던, 산과 들로 뛰놀던 어릴 적 생생한 모습이 기억나서 감사합니다.

고맙습니다.

뿌리 깊은 나무 덕분에 나의 흔들리지 않는 단단한 성장을 다시금 일깨울 수 있어 감사합니다.

고맙습니다.

아담한 돌담과 큰 나무 덕분에 '처음은 미약하나 나중은 창대하리라'는 성경 말씀이 확! 믿어지니 감사합니다.

친구

| 존 슬론 |

thankful, grateful

최유화

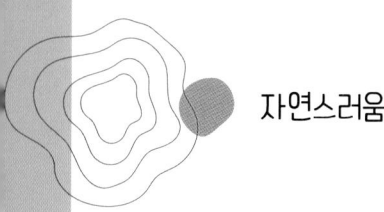

# 자연스러움

고맙습니다.

다양한 색깔의 펜 덕분에 써 내려간 내 글에 아름다움을 느낄 수 있어서 감사합니다.

고맙습니다.

따뜻한 물 한 잔 덕분에 아침을 따뜻하게 맞이할 수 있어서 감사합니다.

고맙습니다.

사랑스러운 가족이 새근새근 자는 모습 덕분에 그저 행복합니다. 감사합니다.

고맙습니다.

매끈한 피부에 기분 좋게 화장할 수 있어서 감사합니다.

고맙습니다.

튼튼한 폐 덕분에 편안하게 호흡할 수 있어서 감사합니다.

고맙습니다.

배의 수술 흉터 자국 덕분에 생의 감사함을 느낄 수 있어서 감사합니다.

고맙습니다.

튼튼한 두 다리 덕분에 어디든 갈 수 있어 감사합니다.

고맙습니다.

눈부신 분홍 벚꽃 덕분에 내 가슴이 아름다운 색으로 물들어 감사합니다.

고맙습니다.

오리와 젖소 덕분에 생명의 소중함을 느끼고 공존할 수 있다는 것에 감사합니다.

고맙습니다.

넓게 펼쳐진 자연 덕분에 편안한 마음으로 여행을 가는 기분이

들어서 감사합니다.

고맙습니다.

높고 잘 지어진 젖소들의 우리 덕분에 비를 피할 수 있는 튼튼한 우리 집에 감사합니다.

고맙습니다.

축축하게 젖어있는 땅 덕분에 비 오는 날 걸어가는 기분과 소리를 느낄 수 있음에 감사합니다.

물웅덩이 건너기
| 존 슬론 |

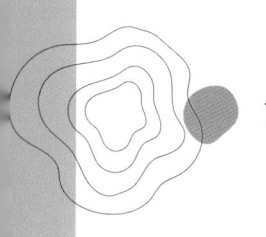

thankful, grateful

김현정

## 하늘을 봐야 할 이유

고맙습니다. 손가락 덕분에 타이핑하며 글을 쓸 수 있어 감사
합니다.

고맙습니다. 부엌 조명 덕분에 밝게 볼 수 있어 감사합니다.

고맙습니다. 전기 덕분에 노트북을 사용할 수 있어 감사합니다.

고맙습니다. 책상과 의자 덕분에 글을 쓸 수 있어 감사합니다.

고맙습니다. 유치원 덕분에 아이들 없이 조용하게 글을 쓸 수
있어 감사합니다.

고맙습니다. 공기 청정기 덕분에 맑은 공기를 마시고 있어 감

사합니다.

고맙습니다. 시간 덕분에 지금 글쓰기를 할 수 있어 감사합니다.

고맙습니다. 머리카락 덕분에 머리를 보호할 수 있어 감사합니다.

고맙습니다. 눈 덕분에 잘 볼 수 있어 감사합니다.

고맙습니다. 코 덕분에 맛있는 음식 냄새를 맡을 수 있어 감사합니다.

고맙습니다. 입 덕분에 즐거운 말과 고마움을 전할 수 있어 감사합니다.

고맙습니다. 아픈 갑상선 덕분에 피곤함에서 벗어난다는 것이 얼마나 소중한지 알 수 있어 감사합니다.

고맙습니다. 어깨 덕분에 글을 쓸 수 있고 옷을 입을 수 있어 감사합니다.

고맙습니다. 심장 덕분에 오늘도 살아있음을 느껴 감사합니다.

고맙습니다. 뱃살 덕분에 다이어트에 대한 의지가 생겨나서 감사합니다.

고맙습니다. 튼튼한 종아리 덕분에 오랫동안 걸을 수 있어 감사합니다.

고맙습니다. 노란색 꽃 덕분에 제 마음도 따뜻해져서 감사합니다.

고맙습니다. 넓은 들판 덕분에 그 자리에 없어도 마음이 평온해져서 감사합니다.

고맙습니다. 하늘의 구름 덕분에 오늘 하늘을 봐야 할 이유가 생겨 감사합니다.

고맙습니다. 그림 덕분에 아이와 함께 해야 할 것들이 생각나 감사합니다.

멋진 날

| 존 슬론 |

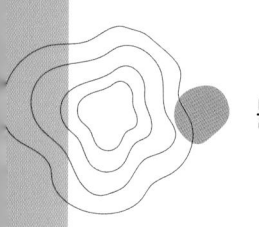 들로 산으로

고맙습니다.

기쁨과 슬픔, 즐거움과 화남의 감정들 덕분에 내 마음을 알 수 있어 감사합니다.

고맙습니다.

에센셜 오일 덕분에 삶이 풍요로워지는 도움을 받을 수 있어 감사합니다.

고맙습니다.

자기의 꿈을 이뤄내는 최고의 내 편 덕분에 내 몸과 마음이 함께하는 공간을 이용할 수 있어서 감사합니다.

고맙습니다.

코 덕분에 나에게 필요한 에너지를 향으로 찾아낼 수 있어서 감사합니다.

고맙습니다.

물려받은 유전 덕분에 피부가 희고 깨끗하다는 말을 많이 들을 수 있어 감사합니다.

고맙습니다.

목소리 덕분에 세상 모든 것과 의사소통을 하고 마음껏 표현할 수 있음에 감사합니다.

고맙습니다.

자궁 덕분에 세상 가장 소중한 딸들을 잉태할 수 있어 감사합니다.

고맙습니다.

시원하게 불어오는 바람 덕분에 일을 끝내고 난 후의 상쾌함과 봄꽃의 향기를 느낄 수 있어 감사합니다.

고맙습니다.

긴 줄에 널려있는 빨래 덕분에 5남매를 키워주신 우리 엄마의 수고로움과 감사를 떠올릴 수 있어 감사합니다.

고맙습니다.

언덕이 있는 그림 덕분에 나의 어린 시절. 들로 산으로 신나게
뛰놀던 추억을 떠올릴 수 있어 감사합니다.

**바람**

| 존 슬론 |

thankful, grateful

김효선

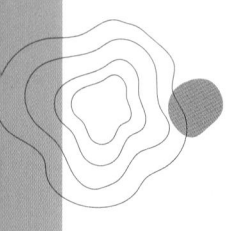

## 얼마나 아름답고 소중한지

고맙습니다. 책상 덕분에 편안하게 글을 쓸 수 있어 고맙습니다.

고맙습니다. 조용한 나만의 방 덕분에 혼자의 시간을 가질 수 있어 고맙습니다.

고맙습니다. 이 새벽 나의 의식을 깨워주는 선생님 덕분에 글을 쓸 수 있어 고맙습니다.

고맙습니다. 휴대폰 덕분에 시간을 인지하고 글 쓸 수 있는 수업에 들어올 수 있어서 고맙습니다.

고맙습니다. 나를 돌아볼 기회를 만들어 주셔서 글을 써보게 해주신 최덕분 선배님 고맙습니다.

고맙습니다. 해 뜨는 것을 보고 아침을 느낄 수 있어서 고맙습니다.

고맙습니다. 나의 복잡한 생각과 힘듦을 인지하는 뇌 덕분에 나를 좀 더 돌볼 수 있어 고맙습니다.

고맙습니다. 건강한 몸과 정신 덕분에 매일 행복한 삶을 느끼고 즐길 수 있어서 정말 감사합니다.

고맙습니다. 빛을 인지할 수 있는 눈 덕분에 아름다운 풍경과 사람들의 표정을 볼 수 있어서 감사합니다.

고맙습니다. 맛을 인지할 수 있는 혀 덕분에 맛있는 음식을 먹을 수 있어서 감사합니다.

고맙습니다. 냄새를 인지할 수 있는 코 덕분에 좋은 향기와 나쁜 냄새를 구분할 수 있어서 감사합니다.

고맙습니다. 체온을 조절하며 몸을 보호해주는 피부 덕분에 외부 자극으로부터 몸을 보호하고 건강한 상태를 유지할 수 있어서 감사합니다.

고맙습니다. 나의 튼튼한 다리 덕분에 걸을 수 있어 감사합니다.

고맙습니다. 건조한 목 덕분에 감기를 조심해야 된다고 생각할 수 있어 감사합니다.

고맙습니다. 그림에서 봄을 느낄 수 있어 감사합니다.

고맙습니다. 나의 가족과 편안하게 머물 수 있는 집이 있음에 감사합니다.

고맙습니다. 명화의 아름다운 색감 덕분에 나의 눈이 호강하고 있어 고맙습니다.

고맙습니다. 주인 곁을 묵묵히 지켜주는 강아지를 보며 우리 학원에 있는 길고양이 두 마리 호두와 앵두 생각이 났습니다. 그 두 아이 덕분에 학원에서 공부하는 아이들의 마음이 따뜻해져서 고맙습니다.

고맙습니다. 각박한 현실 속에서 잠시나마 쉼을 갖게 해준 예쁜 그림이 고맙습니다.

고맙습니다. 시간의 변화 속에서 풍경이 예쁘다는 생각이 들게 되어 나의 나이 듦에 감사를 드립니다.

고맙습니다. 명화를 보며 생명의 소중함을 느끼고, 그동안 놓쳤던 세세한 것들에 대한 감사의 마음을 다시 한 번 느껴보았습니다.

또한, 우리가 살아가는 이 세상이 얼마나 아름답고 소중한지를 느끼면서 감사함을 더욱 느꼈습니다. 때로는 우리가 일상에서 당연하게 여기는 것이, 다른 사람에겐 감사할 만한 것일 수도 있습니다.

이런 작은 것들에 대한 감사의 마음을 가지고 살아갈 수 있어 우리 삶이 풍요로워 지는 것 같아 고맙습니다.

**깔끔하게**

▌ 존 슬론 ▌

thanks to

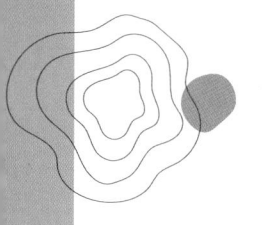

thankful, grateful

최정선

## 간질간질 보드라운 촉감으로

고맙습니다. 고맙다는 말 덕분에 내 가슴이 울컥하고 따뜻한 눈물이 맺히며 내가 나를 사랑하고 행복하다는 느낌에 집중할 수 있어서 감사합니다.

고맙습니다. 내가 엄마인 덕분에 사랑하는 아들 전빈이, 기쁨을 주는 딸 다연이, 보배로운 딸 하은이 세 자녀의 엄마로 살아가기에 감사합니다.

고맙습니다. 하나님 덕분에 약한 나를 강하게, 가난한 날 부하게, 눈먼 날 볼 수 있게 은혜주심에 감사합니다.

고맙습니다. 새치 없는 검은 머리카락 덕분에 염색하지 않고 자연스러운 머릿결을 자랑할 수 있어 감사합니다.

고맙습니다. 뽀얀 피부와 매끈한 피부 톤 덕분에 동안이라는 말 들을 수 있어 감사합니다.

고맙습니다. 고른 치아 덕분에 자신 있게 웃을 수 있어 감사합니다.

고맙습니다. 튼튼한 종아리 덕분에 남편을 처음 만난 날, 짧은 치마를 입고 뿅! 반하게 할 수 있어서 감사합니다.

고맙습니다. 그림이 주는 포근함 덕분에 내 마음이 따뜻해져서 감사합니다.

고맙습니다. 2층 원목집과 정원 덕분에 노년에 휴식할 수 있는 안정된 공간을 꿈꿀 수 있어 감사합니다.

고맙습니다. 파란 하늘과 두둥실 흰 구름 덕분에 맑은 날씨를 느낄 수 있어 감사합니다.

고맙습니다. 살포시 거닐 수 있는 파릇파릇 잔디 덕분에 발바닥에 간질간질, 보드라운 촉감으로 땅의 온기를 느낄 수 있어 감사합니다.

고맙습니다. 튼튼한 기둥과 힘차게 뻗은 줄기위에 초록 잎이 무성한 나무 덕분에 뜨거운 햇살을 가려 주어 시원하게 산책할 수 있어 감사합니다.

고맙습니다. 알록달록 만발한 꽃들 덕분에 엄마와 딸이 꽃향기 맡으며 미소 짓고 아름다운 이야기를 나눌 수 있어 감사합니다.

고맙습니다. 귀여운 반려견 덕분에 가족이 산책할 때 즐거움이 더 할 수 있어 감사합니다.

소중한 꽃밭

| 존 슬론 |

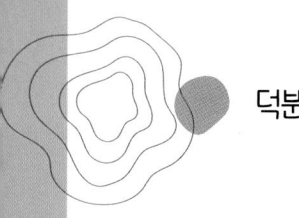

## 덕분에

고맙습니다. 파릇파릇 예쁘게 돋아나는 새싹 덕분에 평온함을 느낄 수 있어 감사합니다.

고맙습니다. "고마워요. 사랑해요. 덕분에 행복해요."라고 표현하는 지금 이 순간 감사합니다.

고맙습니다. 더 고마워 공저 1기 글을 쓸 수 있도록 도움을 준 노트북 덕분에 감사합니다.

고맙습니다. 푹신한 의자 덕분에 엉덩이를 편안하게 쉬며 독서에 집중할 수 있음에 감사합니다.

고맙습니다. 올라갔다 내려왔다 하는 감정 덕분에 살아 있음을 느끼며 감사합니다.

고맙습니다. 하루 종일 수고한 나의 몸이 쉴 수 있도록 도움을 준 침대 덕분에 감사합니다.

고맙습니다. 뜨거운 밥과 국을 맛있게 먹을 수 있도록 도움을 준 숟가락 덕분에 감사합니다.

고맙습니다. 몸 안에 있는 분비물을 편안하게 배출할 수 있도록 도움을 준 양변기에 감사합니다.

고맙습니다. 사랑하는 나의 머리카락 덕분에 예뻐진 얼굴이 되어 감사합니다.

고맙습니다. 소중한 나의 뇌 덕분에 고마움을 느끼며 고마운 사람으로 성장함에 감사합니다,

고맙습니다. 먼지를 막아주는 눈썹 덕분에 눈의 편안함을 느낄 수 있어 감사합니다.

고맙습니다. 예쁜 꽃들의 향기를 맡을 수 있도록 도움을 준 코 덕분에 감사합니다.

고맙습니다. 발그스름한 입술 덕분에 사랑의 입맞춤을 할 수 있어 감사합니다.

고맙습니다. 위대한 눈 덕분에 사랑하는 가족의 얼굴을 마음껏 볼 수 있어 감사합니다.

고맙습니다. 맑은 하늘과 흘러가는 구름 덕분에 평온합니다. 감사합니다.

고맙습니다. 활짝 핀 흰 꽃, 분홍색 꽃 덕분에 아름다운 계절을 느낄 수 있음에 감사합니다.

고맙습니다. 자그마한 양산 덕분에 뜨거운 햇살을 막을 수 있어 감사합니다.

고맙습니다. 안전하게 도착장소에 올 수 있도록 해 준 버스 덕분에 행복한 소풍을 즐길 수 있어 감사합니다.

고맙습니다. 잘 닦인 길 덕분에 사람들과 버스가 편안하게 다닐 수 있어 감사합니다.

고맙습니다. 사랑합니다. 덕분에 행복합니다.

전차 피크닉

| 존 슬론 |

thankful, grateful
한예림

## 몽글몽글 내 세상

고맙습니다.

남편에게서 아버지의 모습을 보며 예전에는 이해되지 않던 것들을 있는 그대로 인정하게 되었습니다.

고맙습니다.

좋은 사람들을 만나 내 마음에 귀 기울이는 방법을 배우고 나를 스스로 위로하니 과거의 상처로부터 자유롭게 되었습니다.

고맙습니다.

내면의 변화를 시작으로 행동의 변화까지 한 단계 발전하기로 결심하고 꿈을 그릴 수 있어서 감사합니다.

고맙습니다.

사람의 표정과 몸짓에서 말하지 않은 것들도 볼 수 있는 나의 눈에 감사합니다.

고맙습니다.

축복의 말로 상대의 잠재력을 현실로 끌어낼 수 있는 나의 입에 감사합니다.

고맙습니다.

내 몸의 감각 덕분에 자연의 숲 내음을 즐기고 건강한 귀로 생명의 소리를 들을 수 있어 감사합니다.

고맙습니다.

몽글몽글한 꽃송이가 터지면서 다시 돌아온 봄에 마음이 따뜻해지고 기쁨이 넘치니 감사합니다.

고맙습니다.

마음에 여유로운 공간이 넓어지니 더 멀리 더 큰 세계를 바라볼 수 있어 감사합니다.

고맙습니다.

길에 핀 들꽃, 풀, 흙에도 관심이 생기니 세상 모든 것을 사랑하고 포용할 수 있어 감사합니다.

**일상에서 벗어나**

❘ 존 슬론 ❘

thanks to

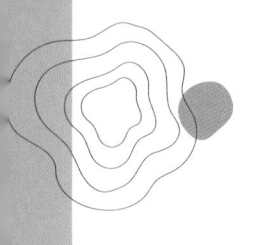

thankful, grateful

백미정

## 세상의 또 다른 이름, 감사

고맙습니다.

스탠드 불빛 덕분에 평온함 느낄 수 있어 감사합니다.

고맙습니다.

책상과 의자 덕분에 글 쓸 수 있어 감사합니다.

고맙습니다.

자유롭게 움직이는 혀 덕분에 내 생각을 말로 잘 표현할 수 있

어 감사합니다.

고맙습니다.

뱃살 덕분에 '건강 관리해야지.' 생각할 수 있어 감사합니다.

고맙습니다.

튼튼한 발바닥 덕분에 대지를 딛고 가고 싶은 곳을 편히 갈 수 있어 감사합니다.

고맙습니다.

감탄사 덕분에 예쁘다는 것을 표현할 수 있어 감사합니다.

고맙습니다.

명화 덕분에 행복한 감정을 선물 받아 감사합니다.

고맙습니다.

계절의 변화 덕분에 봄꽃을 볼 수 있어 감사합니다.

라일락과 레이스

┃ 존 슬론 ┃

thanks to

**3장**

## 용서해 보다 : 나에게 고개를 끄덕이게 되는 순간

가장 많이 용서하는 사람은
가장 많이 용서함을 받을 사람이다.

조시아 베일리

용서는 과거를 있는 그대로 받아들이고
지금 이 시간을 앞으로 나아가는데 사용하는 것이다.

오프라 윈프리

약자는 결코 용서를 베풀 수 없다.
용서는 강자만이 할 수 있는 속성이다.

간디

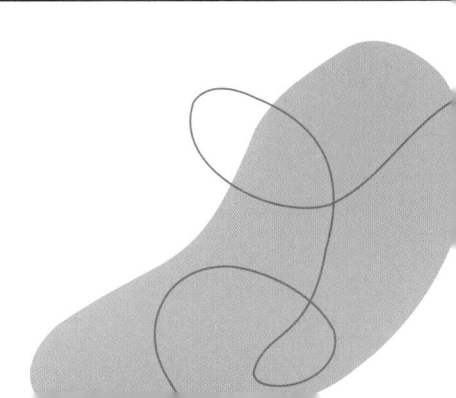

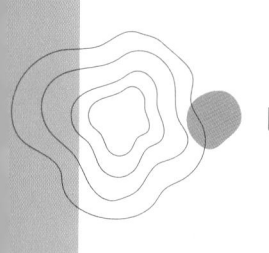

## 내 마음의 문을 열고

텅 빈 마음이 드러나 있던 그때의 나.

많아도 너무 많다.

온통 흑백 세상이었던 시간들.

나 혼자 덩그러니 놓여 있는 듯하다.

내가 존재해야 하는 이유,

내가 살아가야 하는 이유,

내가 무엇인가를 해야 하는 이유는 결국

내가 남에게 도움이 되어야 하는 사람이기 때문이었다.

꽁꽁 싸맨 진실이 담겨져 있는 보따리를

누군가 나에게 던지고 간 그 느낌이다.

한동안 보지 못했던 그 보따리를 발견한 순간,

호기심에 매듭을 열심히 풀어보려고 노력했다.

보따리 속에 들어 있는 진실을 마주한 순간, 나는 공허했다.

'나는 누군가의 희생을 먹고 살아간 사람이었구나.

그래서 다른 사람에게 피해를 주면 안 된다.'

공허함은, 늘 바른 사람으로 살아야 한다는 강박관념으로 채워

졌다.


부모님이 안 계신 나를 할머니와 할아버지가 잘 키우기 위해

노력하는 모습을 주변 사람들이 보았을 것이고, 할머니와 할아

버지는 다른 집 애들보다 부족하지 않게 나를 키우려고 많은

노력을 해 주셨음이 생각난다.

그래서 나는 '희생 속에서 자라왔다.'는 생각으로 더더욱 잘 해

야 한다고 다짐했다. 내가 잘못하면 우리 집이 욕을 먹는다는

생각이 나를 점점 더 옭아맸다. 진짜 내 모습을 드러내는 일

은 자연스럽게 작아지고 없어졌다. 사람들에게 보여주고 싶은

나를 위해 노력했다. 나라는 존재는 결국, 그들이 만들어 냈고 내 몸과 마음 구석구석에 '넌 이런 사람이야.'라고 써 놓았다.

이제 조금은 자유로워지려고 한다. 내가 아닌 부분이 굳은살처럼 박혀 있긴 하지만, "그런가 보다.", "그렇구나.", "그렇지."라고 사람들과 상황을 인정해 보려고 한다.

'노력하는 나'도 '나'니까.

그냥 그대로 받아들여 본다.

부모님의 부재가 마음과 성장의 결핍을 주긴 했지만, 바르게 살려고 노력했던 나는 나에게 고맙다.

도움을 받은 것으로 끝나지 않고 누군가를 돕기 위해서 지금 글쓰기를 하고 있는 나는 나에게 고맙다.

나도 성장해 나가고 있고 다른 사람도 성장시켜서 함께 가자는 마음을 가지고 세상을 널리 이롭게 하고 싶어 하는 나는 나에게 고맙다.

창문 밖을 바라보고 있는 여인의 모습이 마음의 문을 열고 있는 나와 닮았다. 얼굴이 보이지 않지만 희망에 차 있는 표정이라고 상상하는 나는 나에게 고맙다.

용서란, 나를 알아가는 과정이다.

창가의 여인

| 카스파르 프리드리히 |

## 튼튼하고 아름다운 꽃나무처럼

37년 전, 부부 싸움하는 부모님이 보인다.

아버지가 못을 가져와 장롱에 크게 'X'자를 긋고 있다.

방 한가득 쓰레기통과 집안 살림들이 나뒹굴어져 있다.

낡은 반바지와 반팔 티셔츠를 입은 아버지와

초점 없는 눈빛과 헝클어진 머리카락으로 앉아있는 엄마.

매일 싸움을 하는 부모님이 무서워 동생과 나는 이불을 뒤집어

쓰고 덜덜 떨었다.

심장이 얼어버릴 것 같았던 그때의 나를 생각하니 안타깝고 괴

롭다.


'그것밖에 못해? 더 열심히 해야지. 결과를 내란 말이야.'

돈 때문에 싸우는 부모님을 보면서 빨리 어른이 되고 싶었다.

욕구만큼이나 나는 나를 채찍질했다.

뭔가를 하지 않으면 정체되어 있는 것 같아 배움에 많은 투자
를 했다.

결과를 내고 싶어 집착했다.

쉼 없이 달리기만 하는 나.

약해빠진 내 모습. 다른 사람보다 뒤처져 있는 것 같은 나를
용서하지 못한다.


하지만 이젠 변화하려고 한다.

나를 인정하려고 한다.

아무것도 할 수 없던 어린 나를 향해 짜증 내고 소리치며 괴롭
혔던 나를

용서해 보려고 한다.

그래서 고마움을 선택했다.

무서움과 두려움을 훈련시키며

글쓰기와 달리기로 열정을 만들어 낸 사람이 되었다.

나는 나에게 고맙다.

겨울에도 튼튼하고 아름다운 꽃나무처럼 씩씩하게 인생을 살

아갈 나는 나에게 고맙다.

보고 싶은 사람이 있고 나를 찾아주는 사람이 있기에 나는 나

에게 고맙다.


용서란, 불편한 감정들을 정리할 수 있는 좋은 방법이다.

매화초옥도

| 전기 |

# 지긋이

구급차 소리, 사람들의 웅성거리는 소리, 문이 열렸다 닫히는 소리. 응급실을 드나드는 사람들은 밤이 되면서 조용해졌다. 벤치를 앞에 두고 검은색 하의, 흰색 셔츠를 입은 내가 있다. 앉을 자리는 여럿 있었으나 앉지도 서지도 못한 채 낮부터 꼬박 서성대기만 했다. 병실을 올려다보며 그가 깨어나기를 기도하고 기도했다. 숨은 내내 가쁘고 심장은 불이 난 듯 화끈거렸다. 있을 수 있는 일인가? 이게 현실인가? 좋아하던 한 사람이 중환자실에 누워있었다. 하루 휴가를 떠났다가 받은 비보였다.

'그날 자리를 비우는 게 아니었어.'

'더 살펴주지 못해서, 함께 하지 못해서 미안하고 미안해.'

그 일은 내가 어찌할 수 없는, 일종의 예고 없이 찾아든 사고였다. 아니다. 더 살피지 못한, 알아채지 못한 내 탓이다. 내 잘못으로, 책임으로 끝날 수 있는 일이면 얼마나 고마운 일일까? 해도 해도 다하지 못하고 끝도 없을 애도는 어떻게 해야 하는가. 그날 잃어버린 한 사람은 내 심장에 자리를 잡았다. 아프고 또 아프다. 이제 그만 괜찮아지라고, 괜찮아져야 한다고 하지만 나는 도무지 그러질 못하고 있다.

조금은 나아지고 싶어서 숨 편히 쉬고 싶어서 집 밖을 나서서 걸었다. 걷는 일 밖에 없는 것처럼 걸었다. 캐서린 메이의《우리의 인생이 겨울을 지날 때》처럼 인생의 혹한기를 보낸 저자들의 책을 읽으며 '그대도 많이 아팠군요, 그랬군요.' 하며 위로 삼았다. 마음이 닿는 사람이 있는 곳이면 어디든 찾아 나섰다. 한결같이 '어려운 일을 겪었다, 죽을 만큼 힘든 시간이 있었다.'고 말했다. 그럼 나도 이제는 좀 나아지려나, 괜찮아지려나? 심장은 식지 않은 채 '아직은' 아니라고 했다.

그럼에도 조금만 더 생각해 보면 '고마움' 아닌 일이 없기에, 아픈 마음 보듬어 달라져 보기로 했다.

이틀에 한번, 그러다 사흘에 한번 이제는 주말마다 한번, 그를 찾아간다. 꽃과 편지〈더 살펴주지 못해, 함께하지 못해 미안해. 이 마음만큼 사랑을 보내며〉, 그가 좋아하던 노란 고무줄과 밴드를 넣어서. 그를 마음에 품어 기억하고 있는 나는, 나에게 고맙다.

하얀 풍선 띄워놓고, 마음의 안녕을 먼저 살피는 좋은 사람들과 어울려 괜찮아지려는 나는 나에게 고맙다.

흰 드레스를 입고 춤을 추는 기분은 어떠할까? 미소 지으며 만나게 될 사람들을 기대하며 한결 평온해진 나는 나에게 고맙다.

용서란, 고통이라 여긴 그것을 지긋이 바라보는 것이다.

물랭 드 라 갈레트의 무도회

| 오귀스트 르누아르 |

thankful, grateful

황경희

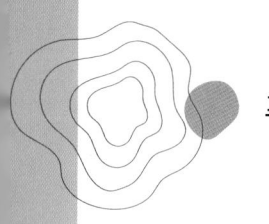

## 푸른 리더

22년 전, 아들 동근이를 포대기에 업은 나의 모습이 보인다. 주말마다 가는 뒤뜰 대모산은 올라가는 길이 좁고 울퉁불퉁 돌산이다. 갓난아기가 나의 등 뒤 포대기 안에 있고 단발머리에 통통한 얼굴인 나는 등산화로 낙엽의 바스락 거리는 소리를 즐겼다.

즐긴 만큼 알콜이 당긴다. 내려오는 길에 식당이 보여 밥을 시킨다. 포대기에 아들이 있는 것도 잊은 채 소주한잔 들어가니 기분이 좋아진다. 한잔 두잔 세잔 필름이 끊어져 아들을 어떻게 업었는지 기억도 없이 집에 왔다. 어느 때는 술을 잔뜩 먹고 와서 목을 가누지도 못하는 아들을 내팽개치듯 내려놓는 모습을 친구가 보고 소스라치게 놀랐다 한다.

가슴이 미어진다. 잠재의식 속에 나를 가두고 못나가게 하는 무엇인가 있어 답답하다. 그때를 떠올리면 벗어나고 싶고 도망가고 싶어 고통스럽다. 나의 치욕스런 모습에 전율을 느끼며 도저히 용서 못할 것 같은 괴로움도 밀려온다.


"1분 1초가 아까워. 쓸데없이 마실 다니면서 차나 마실 거야?" 목적 없이는 사람을 만나지 않았고 혼자 있는 시간을 많이 보냈다. 건강과 여행일지 책을 만들고 외국어를 배우고 눈에 보이는 성과로 마음을 채웠다. 8년간 쉼도 없이 배움의 현장으로 달려갔다.

드디어 복수의 신이 왔다. 출산의 고통보다 더 아픈 대상포진으로 6개월간 잠도 못자는 나날을 보냈다. 나를 복수하느라 내 몸을 그만 두지 않았다. 오랜 시간 쉬지 못하고 나의 몸과 마음을 고통스럽게 했다. 또한 술로 내 몸을 학대하여 나를 용서하지 못한 채 살아온 나날들이었다.

하지만 지금 나는, 훈련을 하려고 한다.

나를 덮어주려 한다.

내 안의 쌓아둔 응어리로 짜증내고 나를 힘들게 했던 시간들,

이제는 나를 용서해 보려 한다.


30년 동안 거침없이 먹던 술을 끊었다.

다섯 권의 책 출간으로 저자의 반열에 서는 승리의 사람이 되었다.

나는 나에게 고맙다.

아들이 고맙게도 잘 자라줘서 미국에서 공부하고 곧 한국으로 귀국한다. 저 바다 끝, 미지의 땅에서 아르바이트도 하면서 새로운 도전을 하는 동근아! 장하도다! 엄마의 성장을 네가 보게 된다면 많이 놀랄 것이다. 2년 동안 못 본 아들을 볼 생각에 기쁜 나날을 보내고 있다.

나는 나에게 고맙다.

바다가 모든 것을 품듯, 남편과 시모의 존재를 나의 한편에 담아 푸른 리더가 되어 가고 있다. 노력하는 내 모습, 아름답다.

나는 나에게 고맙다.

용서란, 생각의 찌기를 깨끗게 해주는 아름다운 감정이 남이
기다.

**기대**

| 로렌스 알마 타데마 |

thanks to

## 감사의 향기

15년 전, 대학교 앞에서 전단지를 나눠주고 있는 엄마의 모습이 보인다. 비에 맞아 옷이 축축해진 줄도 모르고 하염없이 서 있지만 지나가는 학생들도 별로 없다. 대회에 나간 딸에게 한 표라도 더 찍어달라고 알지도 못하는 모교 후배들에게 구구절절 설명한다. 나는 짜증을 냈다. 그렇게 해도 결과는 뻔하다고 생각했다. 감사함도 꾹꾹 눌러서 외면했다. 지금 생각해도 얼굴이 화끈거리고 마음 한구석이 짠하다.

'정말 고마운 상황인데 왜 고맙다고 말하기 싫지? 왜 매번 짜증을 내지?'

나는 가장 고마운 사람에게 고맙다는 말을 잘 하지 않는다. 마음에서 우러나와서 하는 고마움이 전혀 없다. 마지못해 하는 것이다. 고마움을 충분히 느껴야 하는 상황에서도 무감각한 편이고, 고마움을 전달하는 것도 계획에 의한 것일 뿐이다. 어쩌면 내가 나에게 전혀 고마움을 느끼지 못해서 그런 것은 아닐까? 충분한 감사를 느끼지 못하는 나에게 늘 화가 나 있었다.

나는, 변화가 필요했다.
그 과정에서도 등장하는 건 '고마움'이었다.

가짜 고마움, 가짜 감사를 가지고 살아왔던 시간들이었지. 괜찮아! 그럴 수 있어.
모든 것이 다 고마운 것은 아니야. 나에게 고마움이 아닌 순간들도 많았잖아. 억지로 감사를 강요했었던 나에게 용서를 구해. 억지 감사에서 해방 된 거야. 이거였구나!
네 마음속에서 진심으로 동의 할 수 있는 진짜 감사를 찾으면 되는 거야.


나는 나에게 고마운 사람, 진짜 진짜 고마운 사람.

나는 진심으로 고마움을 느끼고 있는 사람, 진짜 진짜 감사를 느끼는 사람.

유화는 진심으로 감사함을 느끼고 감사를 순환시키는 사람.


딸의 일이라면 무엇이든 헌신적이었던 엄마의 크나큰 사랑을 책임과 무게로만 느꼈던 나이지만 이젠 든든한 부모님의 사랑을 알아가고 있다.

나는 나에게 고맙다.

나에겐 꽃으로 위장한 역경들이 있지만 묵묵히 받아들이고 이겨 낸다. 그리고 결국, 좋은 향기를 내는 깨달음을 얻는다.

나는 나에게 고맙다.

나는 많은 사람에게 희망을 나눠줄 수 있는 재능과 마음을 가지고 있다.

나는 나에게 고맙다.

꽃 노점상

| 디에고 리베라 |

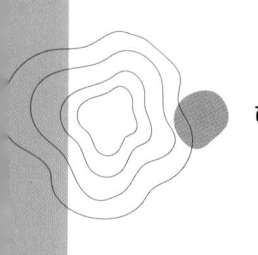

## 행복을 선택하는 용기

12년 전, 베개에 엎드려 울고 있는 내 모습이 떠오른다. 얼마나 소리 내어 울었는지 베개가 눈물로 젖어 한겨울 날씨에 축축함이 차가운 얼음처럼 느껴졌다. 죽고 싶은 마음에 방문을 열고 거실을 지나 베란다에 선 순간, 핸드폰 진동에 멈추었다. 딸아이의 전화였다.

"엄마, 나 재롱잔치 하는데 올 거지?" 시어머님의 호통이 수화기 너머로 들렸다. 순간 '내 딸도 이렇게 용기 내어 나에게 전화를 걸었는데 내가 죽긴 왜 죽어?' 정신이 번쩍 났다. 이혼을 하고 삶에 희망이 없다고 느껴지는 순간 죽음을 선택하고 싶었다. 하지만 딸 아이를 통해 엄마로 당당하게 살아가야 한다는 큰 용기를 얻었다.

내 뜻대로 일이 되지 않으면 화가 난다. 사실 화를 낼 필요가 없고 내 뜻과 생각을 말로 설명하면 되는데 화를 선택해서 큰 소리로 말한다. 상대방에게 이야기할 때 '내 이야기를 분명 들어주지 않을 것 같다'고 이미 판단한다. 나도 모르게 눈빛은 날카롭고 매섭게 변하고, 웃음이 없고 싸늘해진다. 왜 그런 걸까?

어린 시절 나는, 부모님께 수용 받은 경험이 없다. 어리광을 부리거나 투덜거려도 그냥 토닥토닥 해주지 않았다. 울먹거리면 윽박지르고 큰 목소리로 무섭게 말하는 새엄마, 아빠의 모습이 내 기억의 전부다.

지금 아이를 키우면서 불쑥 화를 내며 큰 소리로 말할 때가 있다. 남편에게도 그럴 때가 있다. 과거에 가지고 있는 기억과 습관을 고치려고 의식적으로 노력하는 용기가 필요하다. 쉽게

화를 내고 큰 소리로 말하면서 '저 사람은 왜 저러지?'라며 불만을 가질 것이 아니다. 변화에 대한 불안이 있지만 감정과 말을 잘 선택해야 하겠다. 나와 아이, 나와 남편, 무엇보다 나와 나와의 관계가 행복질 것을 기대한다.

파도가 요동치는 바다처럼 화만 내던 부모에게 온전한 사랑, 수용, 이해 받지 못한 나였지만 물결이 잔잔한 강물처럼 아이를 따뜻하게 안아주며 온전히 사랑하고 표현하는 감정을 이해해주는 엄마가 되었다.

나는 나에게 고맙다.

배가 목적지를 향해 항해를 하려면 방향을 잘 잡아 노를 저어야 하듯, 내 부모의 영향 때문에 불행한 삶을 사는 것이 아니라 내 삶을 어떻게 선택하는지에 따라 행복해질 수도 있다는 것을 알게 되었다.

나는 나에게 고맙다.

배가 안전하게 목적지에 도착하려면 선장과 선원들이 함께 움직여야 한다. '멀리 가려면 함께 가야한다'는 말처럼 내 삶의 주인공으로 글을 쓰고 그림을 그리면서 다른 사람들과 함께 하는 노력을 하고 있다.

나는 나에게 고맙다.


용서란, 있는 그대로 상황을 수용하면서 내 삶의 행복을 위한 선택을 하는 것이다.

**아르장퇴유의 뱃놀이**

| 클 로 드 모 네 |

thanks to

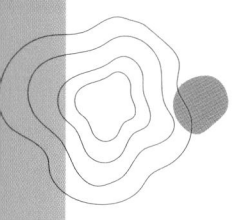

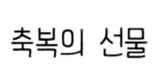

thankful, grateful

조미선

## 축복의 선물

20년 전, 엄마와 심한 갈등으로 도망치기 위해 결혼을 결심한 내가 보인다. 힘든 시기를 보냈던 엄마는 속마음을 털어놓을 수 있는 대화 상대가 필요하셨던 것 같다. 다른 사람들에게 삶의 고달픔을 내색하기 싫어하셨던 엄마. 난, 엄마의 하소연을 들으며 좋은 딸이 되어 드리고 싶었다.

하지만 쌓이고 억눌린 감정들이 엄마에 대한 반항으로 표출되기 시작했다. 결혼 이후에도 힘든 상황들은 변하지 않았다. 경찰공무원을 준비하는 남편과 출산을 몇 달 앞두고 엄마에게 아이를 부탁할 수밖에 없었던 상황들이 너무 괴로웠다.

'세 아이를 키우면서 어떻게 직장 생활을 오래 할 수 있겠어?'
직원들의 달갑지 않는 시선들. 내가 통제할 수 없는 수많은 사건, 사고들. 매일 야근과 일주일에 두세 번 밤을 새우는 것은 나에게 어느 순간 일상이 되어버렸다. 주위 사람들에게 피해를 주지 않기 위해 더 많은 일을 하며, 인정받기 위해 다양한 자격증을 따며 몸부림을 쳤던 시간들. 다른 사람들에게 힘든 삶을 들키기 싫어 나의 감정을 숨기며 늘 거짓웃음을 지으며 살았다. 아직도 나는 일로 지쳐있지만 빠져나오지 못하는 상황이다. 다른 사람들처럼 시간의 여유를 가지고 싶지만 참고 인내해야만 한다.

이제는 조금 더 여유를 가져보려 한다.
이제는 있는 그대로의 나를 더 사랑하고 인정해 주려고 한다.
내가 통제할 수 없는 환경 속에 주저앉아 탓하기보다, 용기 내어 보려고 한다.
나와 타인을 용서하고 응원해 주려고 한다.

40대에 나와 같이 엄마가 세 아이를 키우며 힘들게 삶을 살아가고 있는 사람들의 이야기에 경청했다. 나는 상대방을 배려하며 경청하는 훈련을 통해 공동체 생활을 잘 이루어 나갈 수 있었다. 늘 시간에 쫓기며 밤샘하는 일들을 통해 시간 관리하는 방법을 터득했다. 내가 잘하는 일을 찾아 다른 사람들에게 도움을 줄 수 있는 사람이 되었다.

나는 나에게 참 고맙다.

바쁜 일상에서도 삶의 가치를 알고 누리게 되었고, 함께한 사람들에게도 도움을 주며 서로 성장하는 법을 배우게 되었다. 어두운 밤을 지나 떠오르는 밝은 태양처럼 함께 하려는 사람들에게 좋은 영향을 주려고 노력하고 있다.

노력하고 있는 나에게, 조금씩 성장하고 있는 나에게, 베풀고 나누려는 나에게, 참으로 고맙다.


용서란, 나를 사랑하고 다른 이들을 사랑하는 과정이다.

용서란, 삶의 가치를 깨닫게 해주는 통로다.

용서란, 서로의 결핍을 통해 이루어가는 축복의 선물이다.

태양

| 뭉크 |

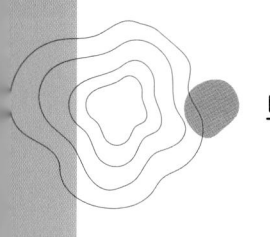

## 토닥토닥해 주련다

10년 전, 뇌수술 자국이 드러난 남편의 옆모습이 떠오른다. 거실에 앉아 흐느끼는 남편 옆에는 얇은 노트와 성경책이 놓여 있었다. 남편의 눈치를 살피는 내 모습도 보인다. 모든 기억을 잃어버린 남편을 혼자 두고 출근하기 위해 집을 나서는 나의 뒷모습은, 뾰족한 송곳으로 내 가슴을 찌르는 듯한 통증을 느끼게 한다. 무엇 때문에 보살핌이 필요한 아픈 남편을 혼자 두면서까지 출근하려 했을까. 그때의 나는 처절한 두려움과 불안감에 숨이 쉬어지지 않았다.

'나는 언제까지 이렇게 살아야 하는가. 제대로 노력해서 이번 엔 진짜로 보여주라고!'

열심히 일한만큼 돈을 많이 벌어 남편에게 보여주고 싶은 마음 뿐이었다. 하지만 열심히 일하면 일할수록 늘어나는 부채를 도 저히 감당할 수 없었던 시절, 남편은 가장 힘든 시기에 나의 부채까지 감당하여 해결해야만 했었다.

돈을 벌고 싶은 강한 욕구가 일어날수록 가정을 버리고 오직 일에만 집중했었던 나. 카드 값이 늘어날수록 나는 자책하며 채찍질했다. 가족들과 함께하지 못한 죄책감에 고통은 더욱 커 져만 갔다. 나를 온전히 인정하지 못하고 용서하지 못하는 괴 로움의 세월이었다.


가장 많이 아프고 힘들었던 시기에 남편과 함께 해주지 못했던 내 모습.

다른 사람에게는 주기만 하고, 남편에게는 받기만 했던 나.

가장 많이 주어야 할 사람이 남편과 가족이었는데 거꾸로 살아 왔던 내가 너무 미웠다.

철저하게 가면을 썼던 나의 모습을 이젠 안아 주련다.

서툴면 서툰 대로, 부족하면 부족한 대로, 있는 모습 그대로, 토닥토닥해 주련다.

살아 있다는 그 자체만으로도

나는 나에게 고마워.

나는 나를 사랑해.

나 덕분에 행복했어.

'고사덕행'을 들려주는 말로 나를 치유하며 용서하련다.


일생에서 가장 큰 수술을 하고도 '덤으로 받은 은혜'라 말하며 많은 사람에게 아낌없이 베풀고 나눔 하는 남편 덕분에, 책 속에서 캐낸 지혜를 실천하여 나눔을 하는 '고마워 디자이너'가 되었다.

나는 나에게 참으로 고맙다.

매주 월요일이면 '더 고마워 감사일기' 강의를 세 번씩 진행하고 있다. 내가 실천하며 터득했던 삶의 지혜를 정성껏 나눔 하는 진정한 '고디'가 되어가고 있다. 나는 나에게 참으로 고맙다. 고마워요.

사랑해요.

덕분에 행복해요.

고사덕행 문화를 더 많은 사람에게 표현하도록 돕고 있는 나는

지혜 실천가로 성장하고 있다. 나는 나에게 참으로 고맙다.


용서란,

나를 있는 그대로 인정해 주고

진정한 나로 살아갈 수 있도록 도와주는 디딤돌이다.

**퀼팅 비**

| 그랜마 모지스 |

thanks to

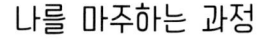

thankful, grateful
서민형

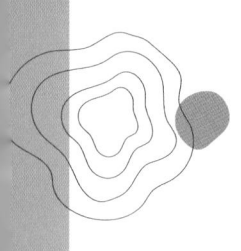

## 나를 마주하는 과정

10여 년 동안 유아교사를 하며, 내 아이를 키우며 느꼈던 자녀교육에 있어 책의 중요성과 활용방법을 알리고자 시작했던 출판 영업. 고객을 유치하기 위해 거리를 지나는 사람들에게 작은 선물을 내밀며 대화를 시도하려 애쓰던 내가 떠오른다.

양껏 준비한 책들, 브로셔들이 들어있는 묵직한 가방과 접이식 테이블을 사거리 근처에 펼치고 있자면 횡단보도를 건너 나를 보고 빠른 걸음을 재촉하는 사람, 멀찍이 떨어져 고개를 돌리고 가는 사람, 오던 길 반대편으로 건너 지나가는 사람들을 어렵지 않게 볼 수 있었다.

단정한 모습을 보이고자 블라우스에 스커트, 자켓을 차려입고 순간순간 불어오는 바람에 휘청이는 파라솔을 붙잡고 날아가는 전단지를 움켜쥐면서 어쩔 줄 몰라 얼굴이 발갛게 달아오르곤 했다.

아이보다 부모가 먼저 알아야 한다는 마음에 도움이 되길 바라며 시작했지만 수많은 거절과 냉대에 먼저 다가가 말붙이기가 두렵고 겁이 났다.

곱지 않은 시선으로 지나치는 사람들을 바라보던 그때의 나는 '내가 왜 이러고 있지? 도망치고 싶다.'라는 생각에 나 자신이 너무 초라하게 느껴졌다.

계획은 있지만 사람들 반응에 대한 두려움 때문에 시작조차 못하고 망설이기만 하는 나.

'내가 잘 할 수 있을까? 실수하면 어쩌지? 내가 선택한 이 방향이 맞는 걸까? 그냥 직장인으로 사는 게 나에게 맞는 길이 아닐까? 왜 힘들어하면서 또다시 스스로 관계를 만들어야 하는 일을 선택한 걸까?'

셀 수 없는 생각들이 한꺼번에 몰려올 때가 많다. 성과가 보이지 않는 시간속의 나는 늘 조급하고 내가 제대로 하지 못했다는 생각에 자책하고 비난했다. 지금 이 순간까지도 나는, 나를 인정하기보다 무척이나 부족하고 무기력하다는 생각에 빠져있다.

아직 모르겠다. 끝까지 해내어 스스로 우뚝 서고 싶은 마음과 모든 것을 버리고 단순하게 살고 싶다는 마음이 늘 부딪친다. 여전히 답을 찾지는 못했지만 내 선택에 대한 믿음과 경험을 놓고 싶지 않기에 한걸음씩 내딛어 보려 한다. 성큼성큼 나가기 위해서는 큰 용기가 필요하기에 나를 인정해주는 용서를 먼저 생각해 보려 한다.

인성이 좋은 아이들, 정신이 건강한 아이들로 자라길 바라는 마음으로 두렵고 힘겨워 하면서도 내 선택과 함께 8년의 시간을 보내왔다. 나는 나에게 고맙다.
주변에서 나를 인정해주고 마음을 알아주는 사람들이 있어 두려움을 이겨내 보려 노력할 수 있게 되었다. 나는 나에게 고맙다.
누군가에게 화사한 해처럼 빛이 되어주는 사람으로 함께 행복을 나누며 성장해 나갈 것이다. 나는 나에게 고맙다.


나에게 용서란,

들여다보고 싶지 않은 나를 마주하는 과정이다.

부족하다 생각하는 모습을 인정해주려 노력하는 것이다.

**해와 아이들**

| 이중섭 |

thanks to

thankful, grateful

김효선

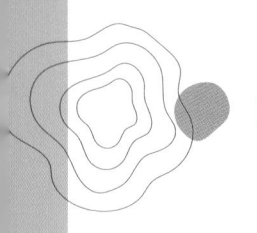

## 나의 상자

나의 상자를 열어본다. 나의 아픈 치부를 건드려 본다. 나의 무채색 같던 삶의 구간을 다시 채색해 보려 한다. 그때의 나는 분명 희로애락이 있었을 텐데…. 상대만 탓하고 산 것이 아닌지 모르겠다. 그다음은 내가 못나고 어리석어서, 책임감이 없어서 등등 온갖 탓을 나 자신에게 돌려보내며 말이다.

그 시간을 닫았다. 그 고통을 계속 안고 살고 싶진 않아. 회피하기 싫어. 내 운명에 지고 싶지 않아.

나는 나를 파워 오뚝이라 이름 짓고 나를 몰아붙였다. 넘어져도 다시 일어나라 나를 다그친다. 새로운 나를 만들기 위해 노력한다. 나를 변호해 보기도 한다. 그리고 위로한다.

괜찮아, 넌 어렸어. 어쩔 수 없었어. 니가 할 수 있는 노력을 했잖아. 그때의 너는 살기 위한 선택이었고, 넌 나쁜 사람이 아니야. 그냥 살아가는 과정 중 하나고 막다른 골목에서 다시 나온 것뿐이야.

20대의 효선아, 애썼어. 얼마나 힘들었니? 얼마나 외로웠니? 얼마나 답답했니? 네가 밉다고, 네가 어리석다고, 네가 끈기 없다고 몰아 붙여 미안해.

고마워. 최선을 다하는 네가 있어서 삶의 굴곡에서도 다시 일어날 용기를 배울 수 있었어. 포기 하지 않는 법을 배웠고, 조금씩 성장하려고 노력하는 나 자신을 발견했어.

사랑해. 20대의 효선아. 넌 충분히 사랑 받을 존재이고, 누군가에게는 삶의 희망을 주는 존재로 진심으로 누군가를 응원할 수 있게 됐어.

네 덕분이야. 치열하고 고민하는 20대를 보냈기에 여유롭게 삶의 만찬을 준비하는 지금의 나를 발견할 수 있는 거야.

행복해. 그 시간이 있어서. 지금의 행복이 얼마나 소중한지 알게 되었고, 지금의 시간에 최선을 다할 수 있게 되었어. 신선한 공기를 손으로 느끼고 호흡하며 밝은 미래를 상상하고 있단다.

과거의 흑백사진이 칼라로 변하고 있다. 옅은 핑크빛 같은 두근거림, 맑은 커피색 같은 시간, 시작을 알리는 초록색 순간들로 다시 채워진다. 어떤 모습이든 있는 그대로의 나를 받아들이고 미소 지어 본다.

고마워. 힘들었던 20대를 견디고 살아준 나의 효선아. 꽃 같은 너에게 위로와 용서를 건네 본다.


이걸로 되었어. 과거의 상처가 자주 들여다 볼 수 있는 예쁜 보석 상자는 아니지만, 묵직하고 오래된 나무상자처럼 그냥 담담히 받아들여 본다. 이제 상자의 문을 닫는다. 그리고 언제든 열어볼 수 있는 서랍 속에 넣어둔다.

붉은 조화

| 앙리 마티스 |

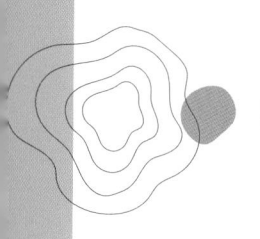

## 내 감정은 아무런 잘못이 없으니

밤 12시를 넘긴 시각.

아버지는 아직 집에 들어오지 않았다.

책상에 엎드려 잠이 들었던 나는 문 밖의 요란한 소리에 잠이

깼다.

아버지의 고함 소리와 휘청거리는 발소리가 들렸다.

무언가를 내던지더니 곧이어 엄마의 흐느끼는 소리가 들렸다.

나는 가슴이 쿵쾅거리고 피가 거꾸로 솟구치는 것을 느꼈다.

숨이 제대로 쉬어지지 않았다.

그때 갑자기 아버지의 발걸음 소리가 내 방문 앞으로 다가오고 있었다.

나는 서둘러 조용히 문을 잠그고 불을 껐다.

할 수만 있다면 그 자리에서 사라지고 싶었다.


한 시간쯤 지나 소동이 잠잠해졌다.

엄마가 문밖에서 조심스러운 목소리로 나를 불렀다.

"자니? 안자면 엄마랑 같이 나갈래?"

엄마는 나를 차에 태워 어딘가로 향했다.

어디로 가는지 궁금했지만 물어볼 수 없었다.

엄마 스스로도 어디로 가는지 모를 것 같았다.


새벽 3시. 엄마와 나는 한강 고수부지에 와 있었다.

가끔씩 술에 취한 사람들이 오가기는 했지만 거의 인적이 없었다.

"여기서 조금만 자고 들어가자."

엄마는 슬퍼 보였고 또한 피곤해 보였다.

여름의 새벽공기는 습하고 차가웠다.

나는 그날 엄마를 보호하지 못했다.

아니, 오히려 회피하고 숨었다.

나는 무섭기도 했고, 화가 나기도 했고, 또한 슬프기도 했다.

아버지의 폭력에 몸이 상하고 마음이 찢어지는 고통을 느꼈다.

두려움과 분노가 동시에 나를 휘감았다.

화가 나는데 슬펐다.

하지만 내 슬픔을 표현할 수는 없었다.

내가 슬퍼하면 엄마가 더 슬퍼할지도 모르니까.


내가 슬프다는 사실이 싫었다.

도저히 인정할 수 없었다.

슬픔에 지고 싶지 않았다.

그래서 안 슬픈 척, 아무렇지 않은 척 하며 살아왔다.

나는 매일 내 감정을 숨기고 살았다.

매일 감정을 죽이는 연습을 했다.


나는 엄마에게 의지할 만한 자랑스러운 딸이 되고 싶었다.

엄마의 황폐한 마음에 한줄기 희망의 빛이 되고 싶었다.

무엇이든 척척 잘해내는 사람이 되어 엄마에게 인정받고 싶었다.

그러나 역설적이게도, 나에겐 무엇을 열심히 할 만한 에너지가 잘 생기지 않았다.

항상 새로운 무언가를 시작하기 힘들어했고, 하더라도 끝까지 해내지 못하고 좌절하는 경우가 많았다.

무엇보다도 하고 싶은 것이 아무것도 없었다.

지난 세월 나는 아무런 꿈도 삶의 목적도 알지 못하고 삶을 살아왔다.

괴로움과 우울감에 빠져 있는 날이 대부분이었다.

엄마는 나를 걱정했지만, 또한 종종 비난하기도 했다.

엄마의 비난은 고스란히 자책의 채찍이 되었다.


나는 늘 내 자신을 비난하는 습관적 생각에 젖어 살았다.

'왜 이것 밖에 못하는 거야?'

'더 잘해야 해.'

'아직도 부족해. 완벽해야 해.'

나에게 완벽하지 않은 것은 엄마를 지켜주지 못한 죄와 같았다.

완벽하지 않으면 사람들이 나를 비난할 것만 같았다.

완벽한 나 자신을 꿈꿀수록 나는 더욱 나 자신에게 가혹해졌다.

일상적 삶에서 경험하는 모든 것에서 나는 늘 자책감과 싸우며 지냈다.

누군가를 부러워하거나 시기하는 마음이 생기면 나는 나를 비난했다.

자제력을 잃고 화를 낸 후에 뒤돌아서면 내 마음은 어김없이 나를 비난했다.

나는 늘 나 자신을 검열했고 평가하고 판단했다.

나는 나 자신에게 혹독한 감시자였다.

나는 나를 위로해주지 못했다.

위로 받지 못한 내 마음은 감정을 제대로 인식하지 못했다.

불편한 감정이 올라오더라도 내 감각은 그것을 제대로 느끼지 못했다.

내 몸의 감정은 창자 밑바닥에 말라붙어 있었다.

나는 내 감정이 무엇인지 제대로 들여다 볼 생각도 하지 않았다.

오랜 시간 삶에 찌들어 있었다.

이제 아버지는 노인이 되었다.

저장강박증은 더욱 심해졌고, 그만큼 그의 외로움도 깊어졌다.

많이 줄어들기는 했지만 술은 여전히 아버지의 벗이다.


그토록 미웠던 아버지였는데,

언제부터인가 연민의 감정이 내 안에서 올라오기 시작했다.

아버지도 잘 살아내고 싶었으리라.

가족들과 화목하고 싶었으리라.

하지만 되돌릴 수 없는 시간은 회한으로만 남을 뿐이다.

그에게는 이제 기운도 소망도 욕심마저도 사라졌다.

아버지를 볼 때면 내 마음에서 연민과 원망과 아쉬움이 뒤섞여
힘들었다.

오랜 시간 돌봄을 받지 못했던 내 감정은 과거의 상처가 드러
날 때마다 뒤죽박죽 요동을 쳐댔다.

안쓰러운 마음으로 아버지를 마주하지만, 어느새 나는 독한 말
로 아버지의 아픔을 후벼 파곤 했다.

아버지를 대하는 방식은 바로 내가 나 자신을 대하는 방식과
같았다.

나는 늘 스스로를 비난하며 살았다.

죄책감과 후회가 항상 내 마음을 괴롭혔다.


이제 나는 나 자신을 위로하기로 한다.

"괜찮아. 지금까지 잘 걸어왔어. 이대로도 충분히 괜찮아. 내가 널 위로할게."

어린 시절의 나는 약했고, 책임은 무거웠다.

그 시절 두려웠고, 연약했고, 슬퍼했던 나의 감정을 충분히 수용해주기로 한다.

내 감정은 아무런 잘못이 없으니 이제 자유롭게 놓아주자.

억눌렀던 감정을 자유롭게 느껴보자.

나는 나를 용서한다.

나이 드신 부모님을 지켜보니 과거 모두가 미숙했던 것을 알게 되었다.

가족이 깨진 것은 누구의 잘못이 아니다.

엄마도 아버지도 자기의 아픔과 괴로움에 갇혀 서로를 수용할 여유가 없었다.

각자 홀로 살아가시는 부모님을 보면, 내 마음에서는 안타까움과 원망 사이에서 치열한 줄다리기가 벌어지곤 했다.

부모님이 연로해지신 지금에서야 고된 삶을 살아내시며 위로받지 못했던 두 분의 마음이 얼마나 외롭고 힘들었을지 알게 되었다.

우리 가족이 지나왔던 어둠의 터널 덕분에 내 마음을 세심히 살펴보게 되었다.

나는 나에게 고맙다.

사람을 이해하고 따뜻한 위로를 나누기 위해 독서와 배움에 열정을 갖게 되었다.

나는 나에게 고맙다.

나무와 꽃과 숲에서 영감을 얻으며 좋은 사람들과의 교감을 통해 성장하고 있다.

나는 나에게 고맙다.


용서는 나를 사랑하겠다는 결심이다.

용서는 나 자신과 교감하면서 겨우내 말라있던 감정들을 돌보는 것이다.

용서는 나를 외면하지 않고 책임을 다하겠다는 나와의 약속이다.

우리집 뜰의 카미유와 아이

┃ 클로드 모네 ┃

thanks to

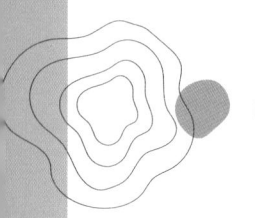

## 이제 쉬어도 돼

25년 전 어느 날, 보따리를 싸 들고 우리 집에 오신 시어머님을 모시면서 아이들과 떨어져 회사 생활을 하던 내 모습이 보인다. 회사 생활도 집안일도 열심히 하며 아이들과 함께 하고픈 나. 진달래도 피고 개나리도 폈던 화창한 봄날인데도 두꺼운 겨울옷을 입고 계속 일을 하고 있다.

'그것밖에 못해? 더 열심히 해야 해.'

아이들과 시간을 보내야 하는데 회사에서 인정받고 싶고 집안

일도 잘해야 한다는 욕심에 쉬지 못하는 나였다. 며느리, 아내, 엄마로 살려니 어쩔 수 없는 일이었는지도 모르겠다. 정말 열심히 살아왔는데도 내가 잘하는 것이 무엇인지, 내가 좋아하는 것이 무엇인지 알 길이 없었다. 그래서 계속 배우고 배우면서 나를 채찍질했다.

나를 용서하지 못하고 있는 내 마음을 들여다본다. 성취로 나의 존재감을 증명하려 했고, 상대방만 배려하다가 힘들다는 말 한마디 못하며 나를 방치했다. 이제 나는 나에게 고맙다 말하려 한다. 감사하다. 백미정 대표님과 최덕분 대표님 덕분에 나를 용서하고 나를 바라보는 시간을 가질 수 있었다.

"미정아, 이제 쉬어도 돼. 애썼다. 잘 살아왔어."

노력했던 나에게 고마운 마음을 글로 썼다.
나의 노력과 재능으로 사랑해 주어서 나는 나에게 고맙다.
시어머님을 모시면서 가질 수 있었던 지혜로 모든 사람에게 감사를 전하는 감사 디자이너가 되었다. 나는 나에게 고맙다.

무거운 짐들을 내려놓고 긍정의 시선으로 전체를 바라볼 수 있는 나는 나에게 고맙다.

열심히 살아서 정상에 올라와 있는 나는 나에게 고맙다.


용서란, 나를 먼저 이해하고 인정해 주며 나에게 고마워하는 마음이다.

용서란, 나를 성장시켜주는 가장 강력한 무기이다.

안개 낀 바다 위의 방랑자
| 카스파르 프리드리히 |

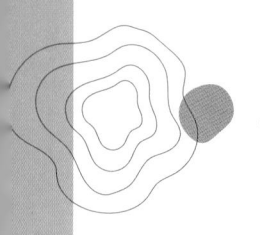

## 조금씩 알아가고 있다

25년 전, 임신한 엄마의 뒷모습이 보인다. 엄마 앞엔 좁은 차도와 남강을 끼고 서 있는 산이 있었다. 허름한 여름 반바지와 샌들, 묶은 듯 만 듯한 헝클어진 머리카락, 밖으로 나도는 아빠. 입덧을 하면서 밭일하고 먹고 싶은 것 제대로 잡수시지 못했던 엄마를 떠올리니 배탈이 난 것처럼 가슴과 배 사이가 윙윙거린다. 아무 것도 할 수 없었던 그때의 나는 괴로웠다.

'그것밖에 못해? 더 열심히 해야 해. 성과를 내라고!'

나는, 무언가를 해내야만 한다는 생각에 사로잡혀 자랐다. 눈에 보이는 성과에 집착했고, 내가 어찌할 수 없는 상황이 닥치면 스트레스 지수가 최고조에 달했다. 꽤 오랜 시간동안 쉬지 못하고 나를 채찍질했던 것이다.

내가 나를 고통스럽게 하며 용서하지 못한 채 살아온 세월이었다. 블랙홀을 닮아 있던 엄마의 삶에 나는 무엇을 했던가? 불필요하고 불쌍한 생각으로 나를 다그치면서 말이다. 아직도 나는, 약해 빠져 보이는 내 모습, 다른 사람들보다 뒤처져 있는 듯한 인생의 구간을 용납하지 못한다.


하지만 이제, 훈련을 하려고 한다. 나를 덮어주려 한다. 아무것도 할 수 없었던 어린 나를 향해 짜증내며 스스로를 괴롭게 했던 지금의 나를 용서해 보려 한다.


도끼로 장롱을 찍어대며 싸웠던 부모님 밑에서 불안과 두려움을 훈련시키며 글쓰기와 강의로 열정을 만들어 낸 사람이 되었다. 나는 나에게 고맙다.

좋은 사람들과 소통하며 하늘 같은 휴식이 무엇인지 조금씩 알아가고 있다. 나는 나에게 고맙다.

내가 지켜야 할 자리에서 늘 배우고, 자연의 아름다운 변화처럼 늘 성장하고자 노력한다. 나는 나에게 고맙다.

당당한 사람, 평온한 사람으로 기억될 나는 나에게 고맙다.


용서란,

진짜 감사를 알아가기 위한 선택이자 훈련의 과정이다.

파라솔을 든 여인

| 클로드 모네 |

4장

## 표현해 보다 : 그대여 그대여

비를 맞으며 혼자 걸어갈 줄 알면
인생의 멋을 아는 사람이요,
비를 맞으며 혼자 걸어가는 사람에게
우산을 내밀 줄 알면
인생의 의미를 아는 사람이다.

세상을 아름답게 만드는 것은 비요,
사람을 아름답게 만드는 건 우산이다.
한 사람이 또 한 사람의 우산이 되어 줄 때
한 사람은 또 한 사람의 마른 가슴에
단비가 된다.

김수환 추기경

※ 4챕터는 '빈센트 반 고흐의 작품'과 함께 글을 썼습니다.

thankful, grateful

황경희

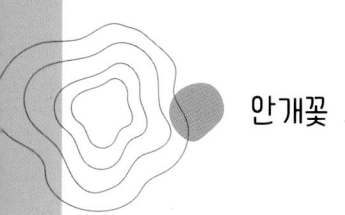

## 안개꽃 그대

뭉게뭉게

20년 전 구름 타시고 사랑을 담아 온 사람

토독토독

메마른 땅에 내리는 비와 같이 촉촉한 사람

뽀드득 뽀드득

행복의 빛을 발해 주위를 광나게 하는 사람

반짝반짝

총기(聰氣)로 내일 손자 생일을 기억하는 사람


사랑의 향기를 퍼지게 하고 어우러지게 하는

안개꽃 그대,

고마운 어머님

백일초와 다른 꽃들이 있는 꽃병

| 빈센트 반 고흐 |

thankful, grateful

최유화

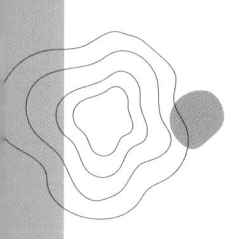

## 당신과 함께라면

보글보글

맑은 곰탕처럼 진국인 사람

싹뚝싹뚝

옳고 그름이 분명한 사람

사뿐사뿐

배려의 발걸음이 멋진 사람

폭신폭신

구름같이 크고 부드러운 사람


당신과 함께라면

어떠한 밤이라도 빛을 만들 수 있어

고마운 그대

론강의 별이 빛나는 밤
| 빈센트 반 고흐 |

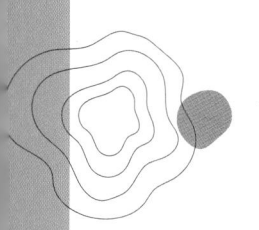

## 곁에서

정말 억수같이 고마운 사람,

사랑하는 남편 덕분에

행복합니다.


언제나 희로애락을 같이 해온 남편,

즐거운 마음으로 함께 소통하며 여행하는 남편 덕분에

행복합니다.


언제나 포근한 남편의 팔베개는

세상에서 제일 편안한 이불이 되어줍니다.


우리 아픔들을 가위처럼 싹둑싹둑 잘라주고,

당신이 보여준 사랑으로 거친 삶 다 이겨냈으니

이제는 드르렁 드르렁, 뒹굴뒹굴,

주말에 실컷 자봅시다.


당신의 수고로움으로 사랑의 열매가 주렁주렁 열렸어요.

아삭아삭하고 달콤한 당신의 사랑을 맛보아요.


존재만으로 반짝반짝 빛나는 나의 고마운 남편,

고맙습니다. 감사합니다. 덕분에 행복합니다.


인생이라는 다리를 건너면서 고통과 아픔을 만날 수밖에 없지만

당신의 사랑으로 튼튼하게 이겨낼 수 있어요.

고마워. 사랑해. 덕분에 행복해.

곁에서 늘 함께 걸어갈게요.

고마운 남편,

당신을 사랑합니다.

아를의 다리와 빨래하는 여인들
┃ 빈센트 반 고흐 ┃

thanks to

thankful, grateful

이지향

## 인생 정원의 짝꿍

반짝반짝

별을 닮은 사람

쏴아아

파도처럼 넓은 마음을 가진 사람

토독토독

한여름 시원한 빗줄기처럼 고마운 사람

송골송골

땀 흘리며 처자식을 위해 열심히 사는 사람


인생이라는 정원을 평생 함께 가꾸어 갈 고마운 사람

아를 요양원 정원

| 빈센트 반 고흐 |

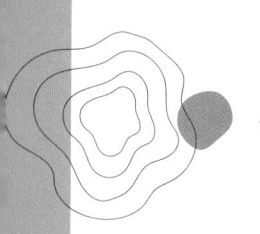

## 은은한 향기로

포근포근

솜 이불처럼 포근한 사람


소곤소곤

가만가만 온화한 사람


꼴깍꼴깍

솜사탕처럼 달달한 사람


토도독토도독

비 오는 날 우산 같은 사람

보들보들

꽃가루처럼 보드라운 사람


한결같은

은은한 향기로 곁을 함께 할 나의 사랑

고마운 사람

라일락

‖ 빈 센 트 반 고 흐 ‖

thanks to

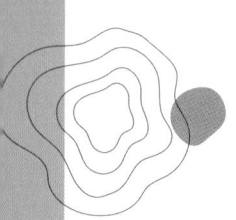

## 당신이 내 사람이라

고마운 내 짝꿍아.


투덜투덜 투덜이인 줄 알았더니

당신을 알고 보니 그것은 토닥토닥.


따끔따끔 가시인 줄 알았더니

포근하게 감싸주는 이불이었어.


싹뚝싹뚝 희망을 잘라내는 가위인 줄 알았더니

쓱쓱싹싹 내 앞의 슬픔을 치워주는 빗자루였네.

당신의 든든한 나무에 기대어 휴식을 취했고

나무그늘을 내어주어 걱정근심 덜었고

어디든 같이 있는 구름같이

내가 당신의 꿈이라는 당신의 말속에서

살아가는 이유를 찾게 돼.


함께 하는 시간이 쌓일수록

당신의 깊음을 가늠할 수가 없어.

당신이 나에게 보여준 신의로

세상을 살아가는 힘을 얻었어.


나의 친구

나의 사람

나의 사랑

당신이 내 사람이라.

가을풍경을 닮은

당신이 내 사람이라.

고맙습니다.

사랑합니다.

덕분에 행복합니다.

가을풍경

| 빈센트 반 고흐 |

thankful, grateful

김현정

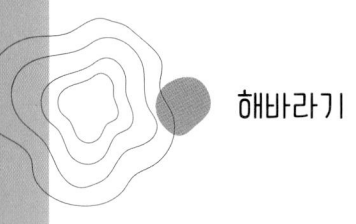

## 해바라기

토독토독

얼어있던 땅을 녹여주는

봄비를 닮은 사람.

훨훨

속상한 내 마음을 저 하늘에 날려 버리는

민들레 홀씨 같은 사람.

보글보글

끓어오르는 열정으로 삶을 살아내며

함께 해 주는 사람.


알고 보면 부드러워.

알고 보면 단단하지.

하늘 향해 곧게 뻗어 있는

당신 마음.

한결같음으로

반짝반짝 빛나고 있구나.

해바라기 내 사람.

고마운 내 사람.

**꽃병에 꽂힌 열두 송이 해바라기**

| 빈센트 반 고흐 |

thanks to

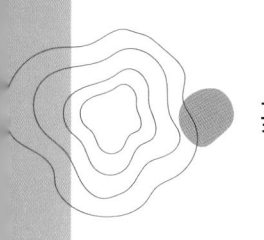

## 꽃처럼 아름다운

뽀글뽀글

손을 비빌수록 자꾸 생기는 비누 거품처럼

자꾸 웃음을 선사하는 사람

꼴깍꼴깍

술 한 잔의 어울림을 아는 사람.

주렁주렁

사랑의 열매 가득한 나무 같은 사람.

토독토독

빗방울 소리에 함께 손잡고 싶은 사람.


꽃처럼 아름다운 마음의 씨앗을 뿌리고 가꿔주는

고마운 사람.

꽃밭

| 빈센트 반 고흐 |

thankful, grateful

최정선

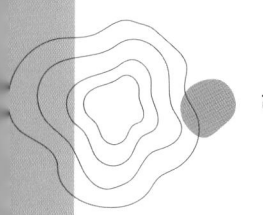

## 행복을 수확하는 사람

반짝반짝,

별처럼 빛나는 눈빛으로 세상을 바라보는 사람.

포근포근,

솜이불처럼 포근한 사람.

소곤소곤,

부드러운 목소리로 이야기하는 사람.

뭉게뭉게,

힘들 때 기대면 하얀 구름처럼 쉼이 되어주는 사람.


사랑의 씨를 뿌리고

행복을 수확하는

고마운 사람.

씨 뿌리는 사람

| 빈센트 반 고흐 |

thankful, grateful

조미선

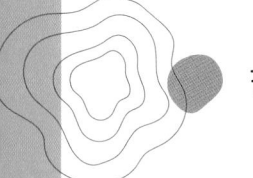

## 카페를 닮은

달그락 달그락

늘 부지런하게 움직이며 가정을 위해 배려해 주는 사람.

낄낄 깔깔

함께하는 이들에게 즐거움을 선사해 주는데 탁월한 사람.

변함이 없는 사람.

진실한 사람.

가정을 위해 봉사하고 가정을 참 사랑하는 사람.

툭 지나가는 말로 마음을 표현할 때도

세심하게 기억하고 나의 원함을 들어주려고 노력하는 사람.


남편 덕분에 일상에서 감동을 자주 느낍니다.

참으로 고맙습니다.

차 한 잔의 여유로 일상을 잠시 잊고

행복한 에너지를 충전하듯,

카페를 닮은

커피 향을 닮은

고마운 사람입니다.

아를의 포럼 광장에 있는 밤의 카페 테라스
| 빈센트 반 고흐 |

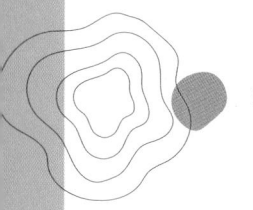 황금 같은 마음으로

참으로 고마운 사람.

나눔과 겸손을 삶 속에서 보여주는 사람.

나의 멘토, 나의 남편.

"거저 받았으니 거저 주어라."

"나도 하나님께 거저 받았으니, 당신에게도 거저 주고 있잖아."

"주라. 끝."

"당신은 고디(고마워 디자이너)잖아."

늘 곁에서 삶의 멘토로 응원과 지지를 해주는 남편 덕분에

진정한 '고디'로 살아갈 수 있습니다.

고마워요.

사랑해요.

덕분에 행복해요.

고사덕행.


반짝반짝

밤하늘 빛나는 별을 닮은 사람.

뭉게뭉게

맑은 하늘에 피어있는 흰 구름처럼 포근한 사람.

주렁주렁

풍요로운 나무의 열매를 거저 주는 고마운 사람.

오물오물

맛있는 밥을 사주는 것이 취미인 가장 멋진 남자.


수고하고 애씀의 시간을 통해

풍성하게 수확한 모든 것을

황금 같은 마음으로 나눔 하는 당신은

이 세상에서 가장 고마운 사람.

가장 존경하는 내 삶의 멘토.

당신에 영원히요.

사랑해요.

고마워요.

수확, 몽마주르를 배경으로
| 빈센트 반 고흐 |

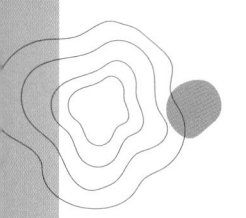

## 나를 걷게 하는 이

보들보들,

정이 많은 사람.


포근포근,

사랑하고 싶은 사람.


투덜투덜,

자기 마음을 표현하는데 서툰 사람.


쓱싹쓱싹,

무슨 일이든 잘 해내는 사람.

송글송글,

땀의 가치를 소중히 여기는 사람.


반짝반짝,

인생의 지혜로 빛나는 사람.


드르렁 드르렁,

자기의 고단함을 단잠으로 위로하는 사람.


당신이 있기에 하늘을 바라보며 인생을 걷습니다.

마음이 하늘보다 두 배 더 넓은 고마운 사람.

인생의 들판을 굳건히 함께 걸어가는 고마운 사람.

나를 걷게 하는 남편을 존경합니다.

**아시니에르의 음식점**

‖ 빈센트 반 고흐 ‖

thanks to

## 천지 모든 것이

구름들의 포근한 왈츠는

당신이 남긴 발자국을 닮아 있네요.

저를 만나러 오는 길가의 흙 내음은

꼼지락 꼼지락 사랑의 풀꽃을 준비하고 있어요.

붉디 붉은 꽃들은

당신의 뒷모습을 보며 박수를 보내주고 있답니다.

사각사각 바람의 질투가 담긴 소리에

씨익 미소를 지어 봅니다.

천지 모든 것이

당신을 향한 나의 사랑과 고마움을 닮아 있어요.

프로방스의 농가

| 빈센트 반 고흐 |

**바라보다 : 모든 시절 잘 살아낸, 미래의 나에게도 고마워**

자신과 세상에 대한 당신의 신념이
당신을 '창조'한다.
당신이 믿는 바가 당신의 상황을 결정한다.

보도 섀퍼, 돈

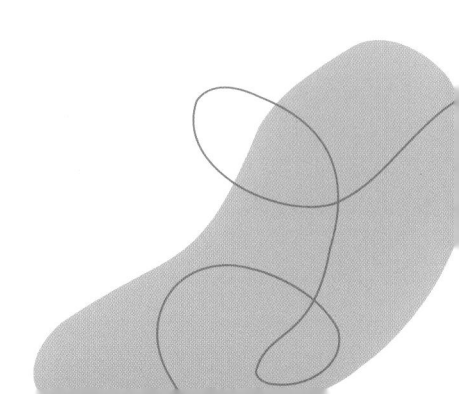

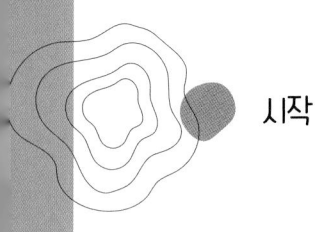

## 시작

나는 사람을 믿고 싶었다. 아니, 사랑받고 싶었던 것 같다. 하지만 여러 상황을 겪고 난 후, 나에게 이득만을 취하려는 사람들을 마음에 두지 않으리라 결심했다. 과거는 어떻게 할 수 없지만, 아직 시작하지 않은 미래는 나의 현재를 쌓아 예쁘게 만들어 갈 수 있다.

나는 나를 사랑하기로 결심했다. 나를 사랑하니 살아갈 힘이 생겼고, 내 안에서 최선의 결정을 하게 되었다. 긍정과 희망을 꺼내 소중히 나의 꿈을 키웠고, 회복력을 키웠다. 나의 실패창고에 쌓인 다양한 경험이 누군가를 살릴 수 일이 된다는 것을 깨달았다.

나는 실패한 것이 아니라 다시 시작을 한 거다.

내 사명은 자신의 꿈을 찾지 못하거나 알고 있어도 실천하기 어려운 사람들을 도와 스스로 꿈을 찾고 원하는 것을 이루게 하는 코치가 되는 것이다. 그들이 충분히 잘해내고 있다고 따뜻한 위로와 응원을 해주는 것이 중요하다고 생각한다.

누군가가 자신의 꿈을 이루기 위해 노력하면서 힘들어할 때, 나는 그들의 희망과 용기가 되어줄 수 있는 멘토가 되고자 한다. 그리고 그들이 꿈을 이루기 위한 노력을 계속해서 이어 나갈 수 있도록 응원하고 도와줄 것이다. 내가 지금까지 겪어 온 시련과 경험들을 바탕으로, 더욱더 많은 사람이 자신의 꿈을 이룰 수 있도록 도와주는 일을 하고 싶다.

수학학원을 운영하면서, 아이들을 잘 성장시키고 좋은 성과를 내는 것을 뛰어넘어 학원의 시스템과 매뉴얼을 나누고, 학원 원장님들을 지원하는 일이 즐겁다는 것을 깨달았다. 알고 있는 것을 하나씩 나누고 각 학원들을 컨설팅하고 지원하다보니 학원계의 백종원이라고 '백뚜기'라고 부른다.

오늘 2028년 4월 7일, 파란 하늘이 눈부시다. 회사 사옥을 이전했다. 바닷가 근처에 푸른 잔디밭이 있는 땅을 매입해서 건물 2동을 지었다. 한쪽은 우리 가족이 사는 주거동이고 한쪽은 회사동이다. 3층 회사동에 이전을 축하해주는 사람들이 하나 둘씩 도착하고 있다.

맛있는 음식들과 분주한 업체직원들이 왔다 갔다 한다. 우리 딸이 특별히 메이크업을 해줬다. 부드럽지만 단단함이 얼굴에 묻어난다. 하늘색 셔츠 원피스에 남색 가디건을 입었더니 한결 어려보이고 가볍다. 남편과 함께 운동을 하는데 몸이 날씬해 졌다. 30대 같다고 해서 살짝 쑥스럽다.

1층은 택배작업을 할 수 있도록 작업장과 주차장이 있고, 2층은 체험관과 전시관, 북까페로 구성했다. 3층에 직원들 사무실, 그리고 바다가 보이는 방이 내 사무실이다.

나와 함께해준 직원들, 예전에는 우리학원에서 근무하던 아르바이트생들이었는데 지금은 각 팀의 팀장이다. 가족들이 있고, 나에게 컨설팅 받고 식구같이 지내는 원장님들이 앉아 계신다. 그들의 호탕한 웃음소리가 기분을 좋게 해준다.

책장에는 두 가지 노트가 꽂혀있다. 결핍노트 그리고 성공노트다. 내 고객의 결핍을 적고 이것을 해결하고자 노력했다. 그 과정이 해결되면 성공노트에 상품을 만들어 기획하는 내용을 썼다. 노트가 30권이 넘는다. 내 재산 1호다. 최덕분 대표님과 협업하면서 메모하는 힘을 키우게 되었다.

김미경 학장님이 학원 경영 과정을 만들어 보자고 하셔서 미팅 중이다. 클래스 101 수업은 지난달에 마무리 되었다.

이제 시간을 내서 주변을 산책하는 것이 내 삶을 풍성하게 하고 있다. 그래서 산책하기 좋은 이 동네로 이사를 왔다. 작은 언덕도 있고, 앞에는 바다가 눈앞에 펼쳐지니 시원하고 싱그럽다.

"엄마가 자랑스러워."

우리 딸이 내 귀에 대고 속삭인다. 저기 멀리서 남편이 손짓한다.

"곧 이전식 시작해. 얼른 와. 손님들 기다려." 남편이 손님들을 대접하고 있다. 남편은 세상에서 가장 친한 친구이자 조언가다.

지난 날, 많이도 힘들었다. 하지만 내 삶을 개척하려고 긍정적인 마음과 희망을 놓지 않았다. 하루하루 즐겁고 행복하게 살려고 애쓰면서 꿈을 이루었다. 많은 시행착오를 거쳐 여기까지 잘 왔다. 충분히 잘해왔다. 나는 나의 사명을 응원한다. 고마운 사람인 나, 나는 나를 사랑한다. 나는 나 덕분에 행복하다.

드디어 잠이 들다

| 윌리암 부게로 |

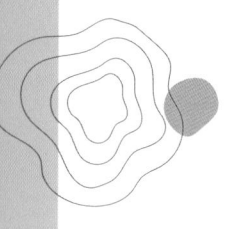

thankful, grateful
이지원

## 좋고 고맙고 행복하다

'지나간 비극이 더는 내 인생에 되풀이되지 못하게 할 거야.'
긴 애도의 터널을 지나왔다. 잘했다. 따뜻한 글로 마음이 점점
나아졌고 2025년 1월 1일, '마음을 열어주는 상담가'의 사명을
이루었다.

눈이 내린 아침, 커피 잔을 들고 마당 벤치에 잠시 앉았다.
찬 공기조차 시원하게 느껴진다. 저만치 태양이 떠올라 눈이
부시다. 나는 잠시 눈을 감고 감사의 마음으로 강연에서 만날
사람들을 그려본다.

나는 마음치유 연구소를 운영하고 있다. 마당이 너른 이지정원 카페 한편, 볕이 잘 드는 곳에 5명의 전문 상담가와 함께한다. 언제나 찾아오는 사람들로 북적인다. 좋아했던 20대 청년들이 이제 머리 희끗한 중년의 모습으로 말이다.

나의 사명을 이루기 위해 매일 감사 걷기를 했다. 하루 한 시간 이상 책을 읽으며 내 생각을 기록했다. 앞서간 사람들에게서 배웠다. 그리고 글로 마음이 따뜻해지는 책을 출간했다. 기회마다 강의를 한 것이 큰 도움이 되었다. 많은 사람이 카페와 연구소로 찾아온다. 주어진 삶에 감사하기, 읽기, 기록하기, 매일 감사 걷기 한 것이 지금의 나를 있게 했다.


"좋아하는 일 다시 찾을 줄 알았지. 당신이 좋아하는 일 해서 내가 참 좋다."

남편은 이를 드러내며 활짝 웃었다. 눈에 그렁그렁 눈물이 맺히는 게 보였다.

"엄마는 뭘 해도 엄마 같아."

딸을 안고 한참을 있었다. 서로의 등을 토닥여 주었다. 좋고 고맙고 행복하다.

딸로 태어나 할머니로부터 윗목으로 밀려났다. 그래도 울지 않아 더 안쓰러웠다는 후일담. 혼자 말없이 조용하기만 하였다. 사람들의 눈을 바로 쳐다보는 것이 힘들었다. 제때 아프다고 말하지 못해 깊어진 병으로 꼬박 일 년을 학교도 다니지 못했다. 눈물 아니었던 때 적었고, 말없이 조용히 혼자 지내던 시간이 많았던 나는 인생 후반전 또 하나의 사명을 이뤘다. 잘했다. 돌이켜 보니 단 한순간 고맙지 않은 때가 없다. 나의 꿈 나의 인생, 나는 나에게 고맙다.

엄마와 아이

| 장 프랑수아 밀레 |

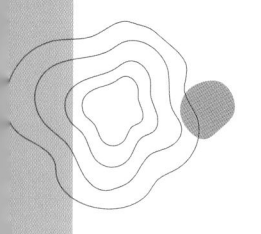

thankful, grateful
이지향

## 여기까지 잘 와주었구나

'내일 할까? 난 게으른 걸까?'

미루는 습관과 게으름을 이겨내고 여기까지 왔다. 장하다!

2028년 2월 1일까지 경력 단절된 엄마들을 위한 '돈벌이 연구 소장'이 되어 엄마들을 돕는 동기부여 강사가 되고 싶어 하던 나의 사명을 이루었다.


오늘 날씨는 딱! 겨울 같은 겨울이다. 엄마들을 위한 강의를 위해 빨간 투피스와 보송보송한 아이보리 컬러의 숄을 걸치고 지하주차장으로 내려간다. 날씨는 추었지만 내 마음은 용광로처럼 뜨겁다.

현재 나는 10명의 엄마 사업가들과 20개국을 돌며 '엄마도 할 수 있다'는 주제로 강연할 행사를 준비 중이다. 그래서 건강 관리가 필수요소이다. 매년 하프 마라톤에 출전중이다. 1년에 1번 참가하는 하프 마라톤과 보디 프로필을 찍으며 건강한 50대가 되었다.

일주일에 한 번씩 오프라인 강의에 참석하고 강사님들에게 배운 점을 기록하고 실천했다. 매달 말일에는 무료 재능기부 특강을 통해서 성장하고 싶은 엄마들을 만나 그들에게 도움을 주었던 것이 큰 힘이 되었다.


세상에 태어나 아장아장 걷기 시작하고,

곰 인형을 사달라고 엄마에게 떼를 쓰며,

변진섭의 노래를 들으며,

홀로 내 마음을 달래며 눈물짓던 나는

사명을 이루었다.

실패할까 봐 아무것도 도전하지 않던 순간과

고민하던 삶을 거쳐 여기까지 잘 와주었구나.

고맙다. 나의 사명아!

고맙다. 나의 인생아!

걷기 시작

| 장 프랑수아 밀레 |

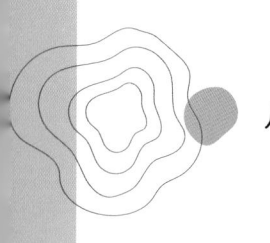

## 새로 거듭난 후에

'나는 말을 잘 못하는데 어떡하지?'

두려움을 이겨내고 2028년 1월 1일까지 세계최고의 건강비전강사가 되고 싶어 하던 내 꿈을 이루었다. 울트라러닝(4년 동안 배우는 것을 1년 안에 배우는 초학습법)을 통해 독서와 자기 경영을 배워 자신감과 전문성으로 건강 책 베스트셀러 작가가 되었다.

장하다!

4월 7일 오늘 날씨는 겨울 같다.

개구리가 깨어난다는 경칩이 지난 지 한 달. 진달래, 벚꽃, 개나리가 온 천지를 덮어 따스함이 온몸을 적시고 있었는데 오늘 밤은 이가 덜덜 떨릴 정도다. 파란색 셔츠에 청바지를 입고 늦은 밤 버스를 기다리는데, 손이 시려 휴대폰도 못 보는데 안내 전광판 없이 도로를 보고 있다.


현재 나는 다섯 명의 강사님들과 세계 10개국을 돌며 〈건강을 통한 백만장자 되는 비결〉이라는 주제로 강연할 행사를 준비 중이다.

여기는 미국 플로리다 주이며 어떻게 하면 백만장자가 될 수 있는지 궁금증을 가득 안고 강의를 듣기 위해 300여 명의 희망성장 관객들이 초롱초롱한 눈이 모인 강당이다. 그동안 재미있게 영어로 강의했던 내용을 되새기면서 200% 이상 잘 전달할 수 있게 성령께 기도를 드린다.


나의 꿈을 이루기 위해 일주일에 두 번씩, 독서와 스피치 훈련을 받았다. 강사님들의 강의와 책 속에서 배우고 싶은 점 한 가지씩을 발견하여 기록하여 실천했다. 하루 한 명씩 고객을 만나 건강할 수 있는 방법과 비전 제시를 통해 실력을 쌓았던 것이 큰 힘이 되었다. 특히 꾸준한 독서로 건강 책을 쓰면서 나만의 노하우를 접목하는 훈련을 많이 했다.

대가족의 첫 아기로 태어나 사랑을 분에 넘치게 듬뿍 받았다. 또한 우주의 기운과 함께 대자연속에서 구김살 없이 뛰놀았다. 노란색 드레스를 즐겨 입으시던 장산리 고모는 나를 자식처럼 여겨 주셨다.

"우리 경희." 하며 내가 시집갈 때까지 아가페 사랑을 보여 주셨다. 고모 시집갈 때 나도 따라간다고 했을 정도로 고모를

고모 두 분, 삼촌과 함께

많이 따랐는데, 그간 고모에게 무심했다. 얼른 건강 선물을 보내 드려야겠다.


어릴 때 사진을 보니 내가 예쁘기는 했구나.

머리핀도 꼽고 머리모양도 예쁘게 해 고모들과 함께 아버지를 맞이하러 시골길을 걸어갔던 추억이 떠오른다. 70년대 동네, 우리 집만 〈삼국유사〉 전집을 사줘 우쭐대며 읽었다. 그것이 자극이 되어 독서가 취미가 되고 건강을 나누는 경희가 되었다.

많은 눈물 속에 독수리처럼 새로 거듭난 후에 나의 사명을 이루었다. 새로운 배움들이 나를 여기까지 오게 했구나!


고맙다. 나의 사명아!  언제나 열심히 살아 온 경희야!

고맙다. 나의 인생아!  몸과 마음이 건강한 경희야!

장남

| 귀스타브 레오나르 드 종해 |

thanks to

## 책과 선함으로

늘 나의 한계를 정해두고 안주하려고 했다. 이젠 그 생각을 놓아주겠다. 생각의 주인이 나라는 것을 알게 되었기 때문이다. 맞아! 그거야!

2030년 5월 23일, 골든라이브(부와 의식 성장 전문센터)를 통해 성장을 원하는 사람들과 함께 부와 삶의 풍요를 신나게 누리고 있다. 오늘 벚꽃은 내 인생 봄을 통틀어 가장 예뻐 보였다. 다음 주면 만개하겠지? 나의 세상이 분홍으로 물들어 간다. 충만하다.

지난달에 샀던 옷을 처음 꺼냈다. 눈이 부실 정도로 새하얀 원피스다. 금빛 링크 귀걸이를 착용하고 아직은 쌀쌀한 날씨에 베이지 트렌치코트를 걸쳤다. 밝은 그레이 레이디 백을 들고 연분홍에 베이지가 몇 방울 섞인 7센티미터 굽의 페이던트 새 구두를 신었다.

1,000명의 참여 인원에게 선물할 나의 10만부 스테디셀러 책에 사인도 마쳤다. 더없는 행복에 함성 지를 사람들의 모습을 상상하면서 마지막 파이팅을 외치고 짐을 꾸렸다.

행복을 느끼고, 지금을 즐기는 방법을 터득하고 모든 생각의 주인은 나라는 것을 안다. 꾸준히 독서모임을 운영하면서 나의 세계관을 확장시키고 매일 독서와 정리를 기록함으로서 나만의 지식으로 만들고 그것을 잘 전달하는 연습을 했다.

"조금만 기다리라고 하더니 진짜 해냈네. 우리 와이프 최고! 고생했어!" 어떤 생각을 해도, 어떤 일을 하더라도 변함없이 응원해주고 조언해주던 남편이 외친다.

"엄마! 오늘 제일 예뻤어. 여행도 너무 기대 돼. 나중에 내 공연에 와서 팬들한테 인사해줘." 어느덧 아이돌로 데뷔해서 행복하게 활동하는 딸과 뜨거운 포옹을 했다.

엄마의 첫 딸로 사랑을 듬뿍 받고 태어나 아빠의 팔에 안겨 세상을 누볐다. 동생들과 개미도 잡고, 뒷동산을 뛰어 다니며 성장했다. 새벽까지 숨어서 책을 읽던 초등학생 최유화는 자기 목소리에 흠뻑 빠져있는 시기를 보내기도 했다.

엄마의 말은 들리지 않고 내 생각대로 살면서 아프기도 하고 방황도 하면서 말이다. 그래도 성장했다. 결국 책으로 위로 받던 나는 책과 선함으로 모든 걸 이뤄냈다.

지금까지 잘 살아온 나에게 고맙다.

맞아! 너무 고맙다!

앞으로도 나의 모든 감정, 모든 노력, 모든 성장에 고마워 할 것이다.

**엄마**

| 호아킨 소롤라 |

thankful, grateful

김현정

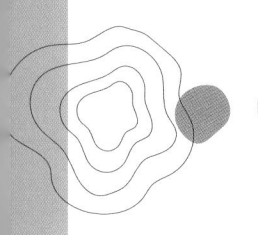

## 덕분에 행복해

　울컥울컥 올라오는 나의 감정을 글로 쓰고 말로 표현하는 훈련 덕분에 행복한 마음으로 한걸음씩 걸어왔다. 2040년 3월 2일까지 "덕분에 행복해."를 실천하는 덕행 실천가로 전 세계 강의를 다니는 나의 사명을 이루었다.

　오늘 날씨는 참 맑다. 무릎까지 내려오는 감청색 원피스를 입고 검정색 구두를 신었다. 약간 차가운 바람이 불어 어두운 버건디 색의 숄을 걸쳤다. 부드러운 인상과 단정함이 묻어 나와 좋았다.

현재 나는, 아이의 대학교 입학식을 마치고 강연회장으로 이동하는 자율주행 차 안에서 잠시 글을 쓰고 있다. 오늘 강의 주제는 〈나를 깨우는 여행, 덕행걷기〉이다. 다섯 분의 강사님들은 나와 함께 '덕행걷기'를 통해 건강을 되찾았다. 내 마음을 힘들게 했던 감정을 내려놓으며 건강한 육아를 통해 아이와 남편과 주변 사람들을 바꾼 멋진 분들이다. 이런 분들이 나와 함께 하고 있다는 사실이 든든하다. 혼자라면 하지 못했던 일들을 소중한 사람들과 함께 이루어 내어 행복하다. 나의 사명을 포기하려 했던 지난날을 떠올리며 피식 웃음지어 본다.

나의 사명을 이루기까지 일주일에 3회 이상 '덕행걷기'를 실천하고 실천 결과를 꾸준히 기록했다. 하루에 몇 걸음을 걸었는지는 중요하지 않다. 그 시간만큼은 길가에 있는 풀보다 내가 더 소중한 존재라는 것을 인식하고 받아들였다. 나를 있는 그대로 보며 이 세상 모든 것 덕분에 행복하다는 마음을 느꼈다. 내 마음을 계속 기록하며 정리한 〈덕행일기〉를 통해 나만의 콘텐츠를 제작했다.

가장 가까운 사람들부터 차근차근 변화해 나가는 모습을 보며 나의 방법이 틀리지 않았다는 것을 깨달았다. 나만의 팬을 만들기 위해 천 여 건의 일대일 데이트를 통해서 나의 방법을 알리고 그들에게 진심으로 다가갔던 것이 큰 힘이 되었다.

"덕분에 행복합니다."라며 웃는 남편의 모습에 함께 미소 짓는다. 한 집안의 가장으로써 그가 가졌던 마음의 짐을 많이 내려놓은 모습을 보니 감사했다. 아이들 학교 문제도 잘 해결되어 이제는 두 아이 모두 자기를 사랑하며 주변에 좋은 영향력을 끼치는 아이들이 되었다.

"엄마, 오늘 와줘서 고마워요. 덕분에 행복해요."라며 환한 목소리를 내는 아이들의 전화를 받으니 내 아이들의 엄마라는 사실이 자랑스러웠다.

동네에서 거리낄 것 없는 온 동네 깡패였던 나였다. 나를 둘러쌌던 모든 환경과 마음이 조부모님의 우산 속이었음을 깨닫고 방황했다. 미래를 고민했다. 학교 끝나고 노량진역에서부터 걸어갔던 노들섬이 생각난다. 하지만 함께 한 친구 덕분에 행복했다.

스스로 이루어 낸 꿈같지만 돌이켜보니, 내 인생의 모든 것 '덕분에' 행복할 수 있었다. 죽을 것 같이 힘들어 하던 지난날의 나는 결국 사명을 이루었다. 사명을 이루었다고 해서 일상이 드라마가 되진 않지만, 사명 속에 있는 나의 생각과 모습이 나날이 성장하고 있다.

나를 만들어 왔던, 나를 스쳐 지나갔던,
나와 함께하고 있는 것들 덕분에 행복하다.
덕분에 고맙다.
덕분이다.

**어린이 목욕**

| 메리 카사트 |

thanks to

thankful, grateful

최정선

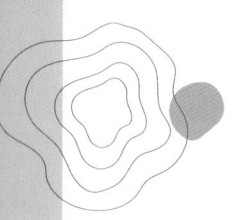

## 엄마는 그저 사랑이다

'아이들과 떨어져 지내면서 엄마의 책임을 다하지 못한 나.'

'내가 잘하는 것이 무엇일까?'

죄책감과 낮은 자존감을 이겨내고 자신감 넘치는 엄마로 서게 되었다!

2030년 10월 3일까지 개인저서와 그림책을 출간한 베스트셀러 작가이자 그림책 부모교육 강사가 되었다. 또한, 국공립어린이집 위탁을 받은 원장으로 현직에서 나의 사명을 이루었다.

가을이다. 바람이 살랑 불어온다. 내가 새롭게 태어난 것을 축하해주듯 하늘은 파랗고 새하얀 뭉게구름이 포근함을 더해준다. 뒷산 단풍나무의 잎이 붉게 물들어 있다. 이에 질세라 은행나무 길 은행잎도 예쁜 노란색을 뽐내고 있다. 검은 색 정장에 붉은 색 스카프를 착용하고 또각또각 구두소리를 내며 가을을 만끽하며 걸었다.

현재 나는, 〈엄마는 그저 사랑이다〉 개인저서로 부모교육 강의를 준비 중이다. 그래서 건강하고 탄탄한 몸매관리를 위해 식단 조절을 하고 있다. 유산균과 멀티비타민을 매일 아침 챙겨 먹으며 일주일에 세 번씩 필라테스를 하고 닭가슴살과 샐러드로 식사를 챙긴다.

대학원 석사, 박사과정을 통해 영유아 분야의 전문가로 소양을 쌓았다. 커뮤니티에서 저자특강을 꾸준히 하며 나만의 콘텐츠를 SNS에 홍보했다. 그림책 심리, 큐레이션 등 배움의 과정을 통해 계속 성장하면서 개인 그림책을 출간했다. 어린이집 원장 모임에서 일정을 조정해 부모교육 재능기부를 통해 강사로 훈련할 기회를 가졌다.

"엄마! 아니 명강사님, 정말 멋져요." 나의 사랑, 큰 아들 전빈이는 양손 엄지손가락을 들고는 웃으며 말했다.

"엄마! 다음 책도 베스트셀러 도전하는 거지?" 나의 기쁨, 큰 딸 다연이 말에 내가 더 설렜다.

"엄마! 돈 많이 번거야? 부자야?" 나의 보배, 작은 딸 하은이는 엄마가 부자가 되었다고 외식을 하자며 성화다.

"역시, 최 대표님! 멋지십니다." 남편은 농담처럼 말했지만 눈물을 글썽이는 나에게 다가와 살포시 안아주며 어깨를 두드려 주었다. 귀한 보물들인 아이들과 한결같이 응원해준 나의 안전기지 남편 덕분에 지금 내 모습이 있다.

부모님은 내가 엄마 뱃속에 있을 때부터 잦은 싸움을 하셨다. 최면을 통해 알게 되었다. 나는 엄마 뱃속에서 살려달라고 울고 있었다.

세 살 무렵이었던 나는 엄마에게 매달렸다. 혼자 두고 가지 말라고. 엄마는 떠났고 다락방에서 새엄마의 눈치를 보며 숨죽이며 살게 되었다. 열두 살이 되던 해, 새엄마가 죽었다. 그리고 매 순간 보고 싶어 하던 나의 엄마를 다섯 번 만났던 열여 덟 해, 엄마는 갑자기 이 세상을 떠났다.

십년이 지나 나는 엄마가 되었다. 아들을 낳고 엄마가 보고 싶어 서럽게 울었다. 두 아이가 여섯 살, 네 살이 되었을 때 나에게 매달렸다. 가지 말라고. 하지만 내 인생의 무게가 너무 무거웠다. 혼자 떠나와 단칸방에서 아픔을 부여잡고 숨죽여 울 며 시간을 보냈다. 삼년 즈음 지났을까? 눈물이 빛을 만나 반 짝이게 되었다. 조금씩 행복한 나로, 엄마로 세워졌다.

이제 나는, 아이들에게 웃어줄 수 있는 엄마가 되었다.

이제 나는, 나의 사명을 감당할 수 있는 사람이 되었다.

간절히 원하고 바라고 기도하여 마침내 사명을 이루었다.

고맙다. 나의 사연아!

고맙다. 나의 소명아!

고맙다. 나의 사명아!

앞으로 내 인생이 기대된다. 내 사명이 더 빛나고 있을 것이 틀림없으니까.

**모성애**

**| 메리 카사트 |**

thanks to

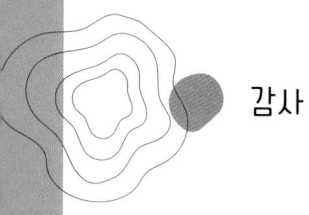

## 감사 멘토

'나의 욕망은 용광로처럼 활활 타오르는데 참는 게 익숙해져 항상 표현을 못하겠어. 나는 왜 이럴까? 내가 나를 믿어주지 못해서가 아닐까? 내가 나를 신뢰해 주어야 한다. 내가 나를 사랑해 주어야 한다. 한미정, 할 수 있어!'

2030년까지 최고의 동기부여 강사가 되겠다는 긍정적인 마음으로 감사와 사랑을 실천했다. 자기 자신 때문에 힘들어하는 사람들의 행복한 성장을 돕기 위해, 세계를 돌며 내 인생이야기 '감사의 기적'을 들려주고 있다.

파란 하늘이 나를 기분 좋게 만들어 준다. 하얀 셔츠에 파란
색 청바지를 입으니 당당하게 보였다. 황금색 신발을 신고 가
족들, 친구들과 함께 파티를 즐기고 있는 오늘이다.


현재 나는 베스트셀러 작가님들과 20개국을 돌며 〈기적을
일으키는 감사〉라는 주제로 강연을 준비하고 있다. 감사 일기
를 쓰고 필라테스를 하며 몸과 마음의 근육을 튼튼하게 하고
있다.

매일 명상을 하고 긍정 마인드로 감사와 사랑을 실천했다.
매일 감사 일기를 썼다. 나에게 힘을 주는 긍정의 말도 매일
기록했다. 기록으로 내공을 쌓아왔던 것이 큰 힘이 되었다.


"여보, 새벽 시간을 사랑하면서 매일 기록을 하더니 역시 당
신이야! 해낼 줄 알았어. 내 와이프한테 사인 받아야 겠네." 언
제나 든든한 지원군인 사랑하는 남편이 말했다.

"한 작가님. 역시 우리 엄마 멋져! 우리 엄마 최고다!" 항상
필요한 피드백을 해주었던 사랑하는 딸이 환한 미소를 지었다.

가족들에게 감사하다.

"미정 언니, 대단해! 그동안 매 순간 바쁘게 살더니 잘 될 줄 알았어. 뭔가 해낼 줄 알았다니까." 대학교 동문들과 친구들이 함께 축하해 주고 있다.

명화 속 나는 너무나 사랑스럽다. 엄마의 눈빛은 감사와 사랑이 가득하다. 내가 처음 우리 아이들을 보았을 때와 같은 마음이었으리라. 기적의 순간이다. 그러나 나는 너무 힘이 없고 연약한 아기였다. 죽은 줄 알고 윗목에 버려진 적도 있었다.

아빠가 마루에 앉아 한자를 가르쳐 주었을 때 너무 좋았던 나. 친구들과 이선희 노래 '아, 옛날이여' 노래를 부르며 행복하게 웃었던 나.

20년 동안 어머니를 모시고 25년 동안 다니던 회사를 그만두었다. 내가 좋아하는 것이 무엇인지, 되고자 하는 것이 무엇인지 몰랐다. 최덕분 대표님을 만나 사명이 중요하다는 것을 알았다. 그리고 나는, 최고의 동기부여가가 되고 싶어 하는 것을 알았다. 이제 나는 긍정, 감사, 사랑으로 사람들의 삶을 치유해 주는 감사 멘토로 살아갈 것이다.

나의 눈물에 감사하다.

나의 노력에 감사하다.

나의 긍정에 감사하다.

나의 감사에 감사하다.

나의 사랑에 감사하다.

미정아, 고마워. 감사해. 사랑해. 덕분에 감사해.

**엄마와 아기**

‖ 비센테 로메로 레돈도 ‖

thanks to

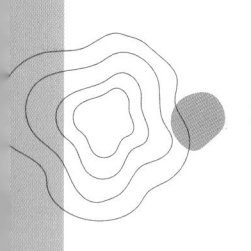

## 잘 살아 왔네

'이제는 너무 지친다.'

'언제까지 이 일들을 해야 하는 것일까?'

포기하고 싶은 순간과 통제할 수 없는 여러 감정들을 잘 이겨내고 여기까지 잘 왔다. 정말 대단해! 2024년 12월 31일까지, 회사 살림을 살리는 최고의 관리 시스템을 구축하고자 했던 나의 사명을 드디어 이루었다!

참 오랜만에 함박눈이 내린다. 나는 새벽 시간을 좋아한다.

따뜻한 차 한 잔과 잔잔한 클래식 음악소리가 내 마음에 잔잔한 울림을 준다. 오늘따라 남편이 스페인 출장에서 사다 준 군청색 망토가 너무 맘에 든다.

현재 나는 5명의 사업 파트너들과 함께, 100개의 거래처들을 위해 〈회사살림 디지털바인더 시스템〉 활용 교육과 컨설팅을 준비하고 있다. 그동안 나의 경험을 통해 만들어진 시간 관리와 전략 독서 방법은 인기가 많다.

나의 사명을 이루기 위해 매일 해야 할 일의 우선순위를 체크하고, 30분 이상 독서를 했다. 이동 중에는 오디오북을 들었다. 매일 스크랩을 쌓아가는 하루 성공 루틴이 바로 성공요인이다.

매일 나의 시간을 기록하며 피드백을 통해 업무를 개선하고 꾸준한 자기계발(독서. 강의. 모임)을 통해 변화를 시도했다. 매주 주일학교 봉사와 함께한 이들에게 시간 관리 재능기부를 통해 성장을 도왔던 경험의 시간들이 나에게 큰 힘이 되었다.

"다 내 덕인 거 알지? 나처럼 이렇게 가정에 잘하는 남편이 없어! 하하하!" 늘 우렁찬 남편의 목소리와 웃음소리가 집밖까지 들리는 듯하다.

"우리 며느리, 그동안 너무 애썼다. 너의 애씀, 누구보다 내가 더 잘 안다." 어머님의 울음 섞인 목소리에서 그동안의 서러움이 다 씻겨 나가는 것 같다.


그동안 사랑하는 이들을 통해 보호받고 아빠의 사랑을 독차지하며 성장했다. 용돈을 달라고 조르기도 하며 자주 친구들을 집으로 초대해 있는 것들을 다 퍼주며 늘 행복해했던 나.

어느덧 세 아이의 엄마가 되었다. 훌쩍 큰 아이들에게 보호받고 있는 내 모습이 보인다. 행복하다. 그리고 그동안의 애씀과 수고로 여기까지 잘 왔다고 두 팔 벌려 내 영혼을 안아 주고 싶다.

미선아, 고맙다. 잘 살아왔네.

나의 사명아, 대견해. 늘 응원할게.

나의 인생아, 애썼어. 믿어 줘서 고마워.

모든 것이 고맙다.

브라보 마이 라이프!

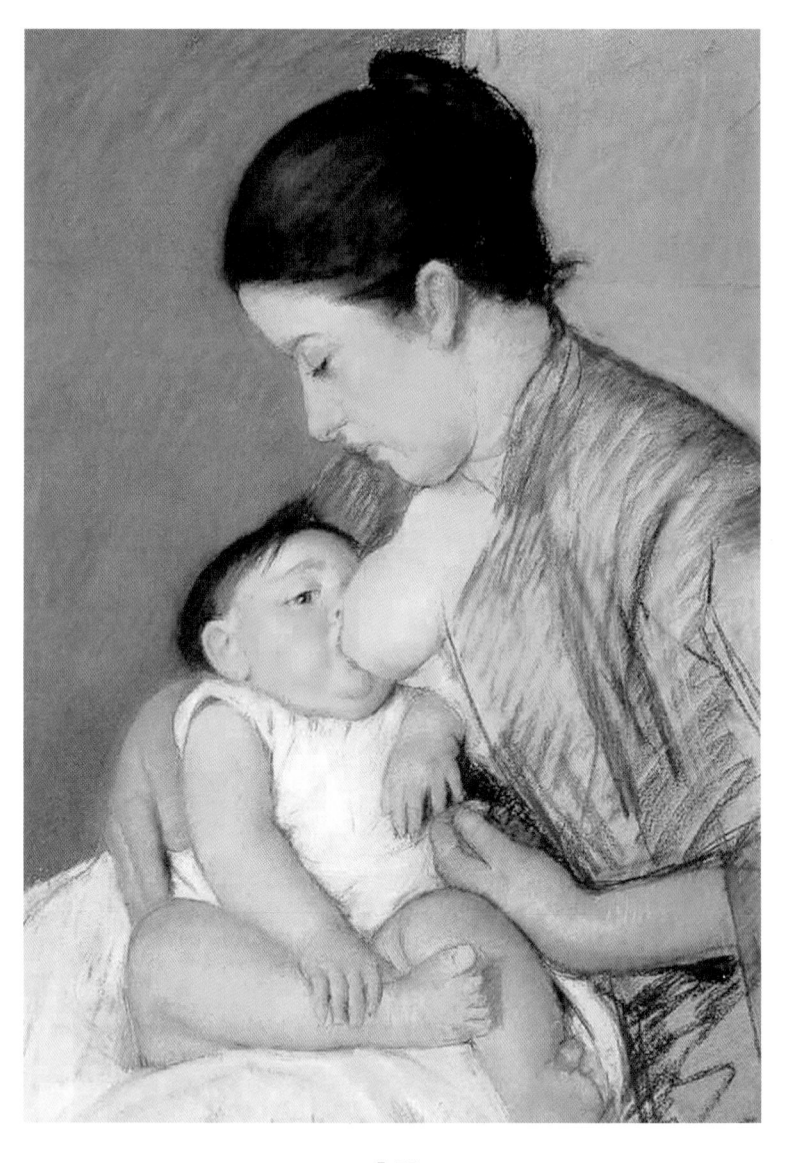

출산

| 메리 카사트 |

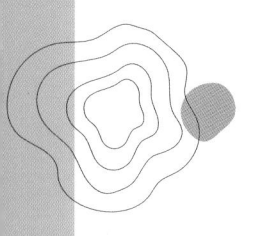

## '고사덕행'의 지혜 실천가

'내가 이렇게까지 해야 하는 걸까?'

'정말 난 할 수 없어. 너무 부족해.'

끝없는 갈등과 힘든 과정을 꿋꿋하게 이겨내고 여기까지 잘 왔다. 참으로 멋지다. 고마워 디자이너로 2026년 4월 30일까 지 따뜻하고 편안한 지혜 실천가가 되고 싶어 하던 나의 사명 을 이루었다.

따스한 봄바람이 살랑거린다. 빨강, 분홍, 하얀 색깔들의 옷을 입은 철쭉꽃들이 환한 미소로 나를 반겨 준다. 아이보리 색의 바지 정장과 심플한 흰색 블라우스를 입은 내 모습은 눈부시게 우아하고 매력적이었다.

현재 나는, 천 명의 고마워 강사를 양성하고 '고마워로 만드는 부 이야기'라는 주제로 1인 기업가 만 명이 모일 자리에서 강연 준비를 하고 있다. 그래서 나는 건강관리가 정말 중요하다. 매일 아침 만 보 걷기와 PM주스 마시기 루틴으로 건강을 챙기기 위해 노력하고 있다.

미라클 모닝 루틴으로 5시에 일어나 하나님께 일천번제 감사헌금과 기도를 드린다. 집중하여 반복 독서를 하고 글쓰기를 통해 얻은 깨달음의 지혜를 기록하고 실천했다. 책을 쓴 천 명의 저자들에게 섬세함과 통찰력으로 강의기획 컨설팅을 해 준 소중한 경험이 누적되었다. 이제는, 책에서 캐낸 지혜를 실천하여 누군가의 성공을 돕는 것이 가장 큰 보람이다.


"와우, 고디 님. 아이보리 정장 입은 모습이 우아하고 멋진데?" 거울 앞에 서 있던 내 모습을 본 남편은 박수를 치며 이야기했다.

"엄마, 최고로 예쁜 날이었어요. 엄마가 해낸 모습을 보니 존경스러워요." 사랑하는 삼 남매의 따뜻한 응원을 받으니 진한 감동의 눈물이 흘러내린다.

따뜻한 눈빛으로 그윽하게 바라봐주고 거저 주는 엄마의 사랑.

나의 할머니인 시어머님께 정성을 다해 섬김의 모습을 보여주셨던 나의 엄마.

사랑하는 엄마의 가르침 덕분에 사람들에게 정성과 사랑을 쏟을 수 있었다.

"이렇게까지 해야 되나요?" 생각과 감정이 많이 힘들었던 날, 울면서 남편에게 전화를 했다.

"내가 덤으로 받은 은혜를 나도 당신에게 거저 주는 거야. 주라. 끝." 남편의 진심과 따뜻함이 담긴 말에 다시 일어서서 사명을 이루었다. 수많은 갈등과 두려운 순간들을 이겨내며 지금까지 잘 걸어 온 나에게 박수를 보낸다.

고사덕행.

축복된 나의 사명.

고사덕행.

기적의 씨앗을 뿌리는 나의 인생.

모든 것이 고맙습니다.

모든 것을 사랑합니다.

모든 것 덕분입니다.

모든 것에 행복합니다.

**명상**

| 엘리자베스 너스 |

thanks to

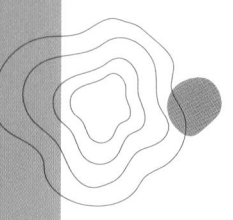 **자랑스럽고 고맙다**

나는 꿈이 없었다. 나는 끝을 보는 집요함이 없었다. 체력만
큼이나 의지도 약했던 나는 기록을 통해 꿈을 명확하게 상상함
으로써 지금의 멋진 내가 되었다. 내가 자랑스럽고 고맙다.

나는 2028년 4월 30일까지 세계 최대 규모의 교육코칭 센
터를 오픈하는 사명을 이루었다. 오늘 나는 센터의 교육과 코
칭으로 위대한 변화를 만든 리더 500명에게 회사의 리더 그룹
작위인 메이트 타이틀을 부여했다.

오늘은 철쭉축제 마지막 날이다. 나는 센터 개소식을 끝낸 후 사랑하는 사람들과 철쭉 동산을 찾았다. 철쭉 동산에는 붉고 하얀 꽃들이 넘실거린다. 꽃들이 파란 하늘과 대비되어 더욱 환하게 빛을 발한다. 나는 베이지색 트렌치코트와 청바지를 입었다. 한 계단 한 계단 철쭉동산 언덕을 오르며 따뜻한 햇살을 즐긴다. 얼굴을 간지럽히는 부드러운 바람에 향기로운 철쭉꽃 내음이 실려 왔다. 아름다운 봄날의 행복이 나의 영혼에 각인된다. 사랑하는 사람들이 즐거워하는 웃음소리가 멀리서 들려온다.

현재 나는 남편의 소상공인 인큐베이팅 사업을 돕고 있다. 기업가 마인드와 건강한 조직문화 세팅을 위한 교육 프로그램을 시작한지 일주일이 되었다. 이 프로그램에는 30명의 각 분야 전문가들이 강사와 코치로 협력하고 있다. 나는 매일 영감을 얻고 확신을 굳건히 하기 위해 새벽기도와 걷기명상을 실천하고 있다. 비가 오나 눈이 오나 나의 루틴은 계속된다.

나는 매일 독서를 통해 지혜를 발견하고 그것을 교육 프로

그램에 적용했다. 한 달에 두 번 최고의 멘토 코치님이 우리 센터에서 강의를 하시는데 센터 리더 그룹인 메이트들의 의식 전환에 큰 도움이 된다. 나는 센터 대표로서 어려운 형편의 청소년들을 위해 무료 순회강연을 다니고 있다. 내가 그들에게 주는 것 보다 더 많은 것을 그들에게서 배운다. 나는 남녀노소를 불문하고 누구에게서나 배울 것을 찾으며 지속적으로 상호작용하고 에너지를 나눈다.

그동안 나의 변화를 돕고 나를 지지해주셨던 상담 선생님, 코치님, 멘토님, 그리고 선후배와 동료들을 센터 연말 파티에 초대했다. 이분들이 아니었으면 나는 결코 변화할 수 없었다. 무엇보다도 남편과 아버지, 어머니의 지지와 격려는 나를 끝까지 해내는 사람으로 만들어 주었다.

"결국 해냈구나. 정말 잘했어. 내가 그동안 구박했던 건 너를 강하게 만들려고 했던 거야." 역시 남편답다. 남편 덕에 성장한 것은 사실이니까 격하게 공감했다.

"우리 딸, 정말 멋지구나. 아빠가 지금까지 살면서 가장 기쁜 순간이다." 몸과 마음을 치유하고 건강한 80대를 즐기는 아버지는 나의 가장 든든한 지원군이다.

"예림아, 사랑한다. 잘 견디고 잘 성장해주어 엄마가 너무 자랑스럽다." 엄마의 축하가 가장 좋았다. 나는 늘 엄마의 자랑스러운 딸로 인정받고 싶었다.


세 자매의 맏딸로 어린 아이는 책임감을 느꼈었지.

그러나 어떻게 책임을 져야 하는지 알지 못해 이리저리 좌충우돌했었지.

어린 아이의 마음은 많이 상했지만 그것은 성장의 자양분이 되었다.

어린 나에게 '하면 된다.'는 믿음의 힘을 처음 알려준 아버지.

몇 년 후 아버지가 무너지기는 했지만 그 모습도 이제는 이해하고 사랑한다.

그때의 어린 아이가 조금만 더 성숙했었다면 아버지에게 소주 한잔 따라 드리며 아버지가 좋아하시는 '돌아와요 부산항에' 노래를 불러드렸으면 좋았겠다.

가족을 보살피고 돕고 싶었던 어린 예림이는 꿈을 이루었다.

과거를 용서하고 자신과 화해한 예림이는 사람들의 성장을 돕는 사명을 이루었다.

세상에 태어나서 무수한 아픔의 계단을 올라 성장한 내 인생.

고맙다. 끝까지 함께 할게.

신생아와 함께 목가적인 가족 장면

| 에우제니오 잠피기 |

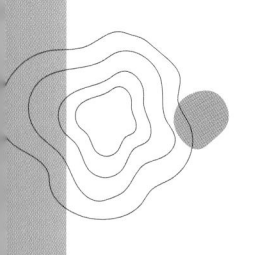

## 나만의 바다를 만나기 위해

2033년 5월. 나는 지금 가족과 유럽 여행으로 프랑스에 와 있다.

'아로마 테라피스트'로 강의를 하며 사업자로서 무엇부터 시작해야할지 어떻게 확장을 해나가야 할지 사업 파트너를 어떻게 찾고 함께 발전할 수 있을지 막막함과 걱정만 하며 정체되어있던 내가 말이다. 아무것도 보이지 않던 터널 같은 시간을 포기하지 않고 이겨내 이 시간을 맞이할 수 있음에 감사하고 대견하다.

편안한 원피스에 자켓을 둘렀다. 스니커즈를 신고 외출준비를 하는 중이다. 멋을 부리는 아이들에게 외투를 챙기라는 눈총과 잔소리는 어딜 가도 빠질 수가 없나 보다.

오늘 방문하는 라벤더 농장은 회사에서 지원해주는 소싱투어다. 나와 함께 하는 파트너들에게 회사의 사명과 가치를 공유하고 가족에게 내가 하는 일의 가치를 보여줄 수 있는 기회가 되어 너무 좋다.

늘 상상만 했던 나의 미래가 현실이 되기까지 나 스스로를 믿어주기 위해 무던히 노력했다. 나의 성장을 위해 오일 뿐 아니라 이혈(귀에 나타나는 반응점에 자극요법을 통해 질병에 대한 예방과 자연치유력을 높여준다), 아로마 테라피 인사이트 카드(타로카드처럼 질문을 하고 아로마 카드를 뽑아 카드의 의미와 해당 오일로 전반적인 가이드를 알아보는 것), 건강 서적 등을 찾아보고 적용해 보았다. 나와 함께하는 파트너들이 행복하고 즐겁게 일을 하며 경제적 발전이 되기를 바랐기에 파트너들의 부름에 감사한 마음으로 어디든 달려갔다. 그 결과 내게는 늘 나를 믿어주고 응원해주는 사람들이 함께 하며 지지해주고 따라주었다.


어릴 적 소라껍데기에 귀를 대고 있으면 파도 소리가 들린다던 이야기를 떠올려본다. 가보지도 못한 바다와 파도를 상상하며 성장하고 공부했다. 나만의 바다를 만나기 위해 수많은 파도를 이겨냈다.

수많은 시행착오와 좌절, 상처를 겪으며 사명을 이루어낸 민형아!

포기하지 않고 시도하며 버텨낸 시간들, 잘했다.

고맙다. 나의 사명아!

고맙다. 나의 인생아!

소라

| 윌리암 부게로 |

thankful, grateful

백미정

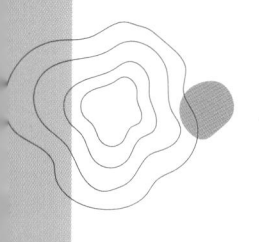

## 브라보 마이 라이프!

'내가 할 수 있을까? 난 쓸모없는 존재야.'

무기력과 우울을 이겨내고 여기까지 왔다. 2030년 9월 1일까지 세계 최고의 동기부여 강사가 되고 싶어 하던 나의 사명을 이루었다.

은행 나뭇잎 색깔이 초록에서 노랑으로 변한 지 사흘이 지났다. 군청색 바바리를 입었는데 쌀쌀하게 느껴졌다.

"살까 말까?" 한 달 전부터 행복한 고민을 하며 눈여겨보았던 초록색 원피스를 사러 가는 길이다. 잘록한 내 허리를 돋보이게 해 주며, 늦여름에 입어도 괜찮은 재질에 내가 좋아하는 초록 계열의 색감인 원피스다. 그림에 꽝손인 내가 초록색 원피스를 낙서하듯 그려본 게 몇 번인지 모른다. 그토록 원하던 초록색 원피스를 입고 강의할 내 모습을 상상해 본다.

일주일에 한 번씩 강의 영상을 녹취하고, 강사님들에게 배우고 싶은 점 한 가지씩을 발견하여 기록하고 실천했다. 매달 한 번씩 재능기부 특강을 하며 강사로서 내공을 쌓아왔던 것이 큰 힘이 되었다.

현재 나는, 10명의 강사님들과 20개국을 돌며 〈진짜 글쓰기, 진짜 사명〉이라는 주제로 강연을 준비 중이다. 건강관리가 필수이므로 일주일에 네 번, 한 시간씩 걷기와 비타민제 하루에 두 번 챙겨 먹기가 루틴이 되었다.

"백 작가님이라 불러야 돼? 백 강사님이라 불러야 돼?" 남편은 평소보다 눈을 더 크게 뜨더니 브레드 피트를 닮은 미소를 지으며 이야기했다. (지극히 주관적인 견해임을 밝힌다)

"우리 딸, 세계 최고가 될 줄 알았어. 해낼 줄 알았다. 엄마가 잘 키워준 덕인 거, 알고 있지?" 금방 통화를 한 엄마의 목소리에 빨간 앵두가 열린 것 같았다.


이 세상에 태어나 우주의 한 존재가 되어,

일기 쓰기로 마음을 달래며,

책 수집을 취미 삼고,

무심코 지나가는 바람 한 줌에 눈물짓던 나는,

나에게 주어진 시간을 잘 다듬어 왔다.

셀 수 없었던 고민 또한 나의 것임을 고백한다.

나의 탄생이 싫어 삶의 반대편을 생각했던 지난 날,

나를 어루만져 주지 못했던 과오를

글쓰기와 강의, 그리고 사명으로 달래보려 한다.

견디기 힘들었던 감정들, 이제는 벗 삼을 정도가 되었으니

나의 글과 말로 많은 영혼 살려 주리라 당찬 기대도 해 본다.


고맙다. 나의 사명아!

고맙다. 나의 미정아!

브라보 마이 라이프!

**엄마와 아기**

❙ 구스타프 클림트 ❙

epilogue

**김현정**

책을 쓰면서 처음으로 나를 돌아보게 되었다.

내가 어떻게 살아왔지? 난 어떻게 살아가고 싶지?

난 어떤 삶을 살까?

몇 편의 글 속에서 과거, 현재, 미래의 나를 살펴보았다.

매우 큰 경험이었다.

**김효선**

'고맙다'의 의미를 잘 모르는 사람이었습니다. 나를 표현하는 것이 어려웠습니다.

저자님들과 함께하며 일상의 삶이 나에게 얼마나 고마운 것인지, 지금의 내가 얼마나 행복한 존재인지 알게 되었습니다. 제가 가장 감사하게 생각하는 것은 가족입니다. 항상 저를 지지해주고 사랑해주는 가족들이 있어서 제 인생은 더욱 풍요로워진 것 같습니다. 또한, 제가 살고 있는 환경에 감사합니다.

깨끗한 공기와 자연, 그리고 편안한 집이 있어서 행복하고 안락한 삶을 살 수 있습니다.

마지막으로, 이번 기회를 열어주신 최덕분 대표님, 글 쓰는 재주가 없는 저를 이끌어주시느라 애써주신 백미정 작가님, 그리고 저자님들과 함께이기에 힘이 났고, 성장할 수 있었습니다. 고맙습니다. 사랑합니다. 덕분에 행복했습니다.


**백미정**

이 세상에서 제일 고마워해야 할 존재인 나에게 고마움의 편지를 썼다. 그간 참 무심했다 싶다. 알뜰히 마음을 챙겨 주지 못해 미안했다. 그리고 이젠, 나에게 한없이 고마워하련다.

나는 고마움의 글을 쓰면서 '세상'의 또 다른 이름을 '감사'라 부르게 되었다. 감사하지 않을 것이 하나도 없었다. 나의 우울도, 눈물도, 미움도 말이다.

나에게 소중하고 고마운 사람을 향해 마음을 표현할 수 있는 글쓰기는 매력 덩어리다. 명화와 함께 시를 써서 평생 남을 선물 하나를 만들어 냈다. 잘했다.

잘 살아왔던 나, 잘 살아가고 있는 나와 친하게 지내야 할 또 다른 대상은 잘 살아갈 나의 미래가 아닐까? 소망이 사명이 되어 이루어질 것이라 믿고 미리 감사함으로 미래 글을 써보았다. 이 또한 잘했다.

글쓰기와 책 쓰기 코치를 업으로 선택한 나, 참 잘했다.


## 서민형

초등학생이 글짓기 시간에 시를 쓰듯이, 반성문을 쓰기 위해 지난 행동들을 되돌아보듯이, 전국투어를 하는 것처럼 삶의 장면 장면을 떠올리며 나와 마주할 수 있었던 시간. 감정과 생각을 글로 드러내는 데 용기를 배울 수 있었던 시간.

내게 있어 글을 쓴다는 것은 나에게 성장과 소중함을 주는 시간이었다.

이 시간들에 감사하며 누군가에게도 글쓰기가 특별한 의미가 되었으면 좋겠다.


## 이지원

예고 없이 찾아든 비보는 삶의 8할이라 여긴 모든 것을 앗아갔다. 숨이 무거운 줄을 처음 알았고 삶의 의미는 약해졌다.

문밖을 나서는 일이 두려웠고 살아지는 시간은 버거웠다. 그래서 글을 썼다. 펜을 드는 행위가 쉽지 않았지만 일단 쓰고 나면 얽히고설킨 감정들이 가지런히 정리되었다.

이제 내 슬픔을 지긋이 본다. 자박자박 감사로 걷는다. 느리게 또는 빠르게 읽고 기록한다. 들숨과 날숨을, 하루하루를 전에 없이 소중히 여기며 산다. 글을 쓰게 하는 언어 멘토가 있었기에, 혼자가 아니라 함께 썼기에 가능했다. 마음에 바람길 하나 활짝 열렸다. 고맙다.

### 이지향

글쓰기를 통해 나를 알아차린다. 타인에게 밝히고 싶지 않은 것까지 끄집어냈다. 내 안에 울고 있는 한 아이를 만났다. 나를 조금 더 안아주고 나를 더 사랑해주는 시간, 글쓰기였다. 감사하고 행복했다.

사랑합니다. 덕분입니다.

### 조미선

분주한 일상에서 벗어나 나를 위해, 소중한 사람들을 위해 기억들을 떠올리며 배우고 느끼고 새롭게 깨닫게 된 귀한 시간들.

이제는 글쓰기의 두려움에서 벗어나 새로운 도전을 하게 될 내 모습이 기대된다.


### 최덕분

머리와 마음속에 고이 숨겨져 있던 감정과 생각들을 꺼내오는 작업, 글쓰기.

나의 감정과 생각들이 키보드와 만나 하나, 둘씩 문장이 되었을 때 나는 또 다른 성장의 길을 걷고 있었다.

나의 글아, 고마워 사랑해 덕분에 행복해. 고사덕행.


### 최유화

편안하고 감사한 마음으로 글을 썼습니다.

그 순간들을 두고두고 간직하고 싶습니다.

내가 가지고 있는 감사를 온전히 느끼고, 충분한 감사로 아름다운 세상을 바라봅니다.

이 마음, 글로 함께 나눌 여러분을 위해 축복합니다.

## 최정선

마음에 담겨있던 생각과 느낌을 살포시 글로 담을 수 있는 소중한 시간이었다. 삶의 사연들을 감사함으로 찾을 수 있어 더 의미 있었고 나, 너, 우리를 위한 공저 수업이었다. 감사와 글쓰기로 더 멋지게 성장할 꿈을 기대한다.

## 한미정

'고마워 프로젝트'로 최덕분 대표님을 만나게 되었고 '감사 일기'로 백미정 대표님을 만나 '더 고마워 공저'까지 함께 하게 되었어요.

매주 백미정 대표님께서 준비해 주신 주제와 명화를 기다렸어요. '용서'라는 주제 앞에서는 모두 숙연해졌습니다. 눈물바다가 되었던 저입니다. 저는 저를 되돌아보는 것이 왜 이리 힘들까요? 말로는 "인생 뭐 있어?" 하면서 짊어지는 짐들은 왜 이리 많은지요.

그러나 감사합니다. 항상 감사합니다. 이런 모양 저런 모양으로 변화하고 성장하는 저를 볼 수 있어서요. 감사의 힘에 이젠 '글쓰기'도 포함시킬 수 있게 되었어요.

귀한 인연을 맺게 해준 최덕분 대표님께 감사드립니다. 백미정 대표님, 최고의 동기부여가로서 모든 사람에게 꿈과 희망을 주셔서 감사합니다. 오늘도 축복합니다.

**한예림**

해묵은 감정을 내려놓기 위해 선택한 것, 글쓰기였다. 세월이 흘러 기억은 희미해지더라도 감정은 사라지지 않는다. 내 마음을 차지하고 있던 원치 않는 감정들을 놓아주고 진정한 자유를 얻게 된 지금 나는 평안하다.


**황경희**

나를 찾아 떠나는 글쓰기 여행으로 많은 것을 얻었구나!

잊고 있었던 내 삶들을 쓸 수 있어 행복했다.

내가 성장하고 있음을 알게 한, 콜럼버스가 발견한 아메리카 대륙만큼이나 위대했던 글쓰기 시간.

지금부터 진짜 시작이다.